ABHANDLUNGEN ZUR KUNST-, MUSIK- UND
LITERATURWISSENSCHAFT, BAND 151

RAINER MARIA RILKES
«DIE AUFZEICHNUNGEN DES MALTE LAURIDS BRIGGE»

EIN WÜRFELWURF NACH DEM ABSOLUTEN
POETOLOGISCHE ASPEKTE

VON DIETER SAALMANN

1975

BOUVIER VERLAG HERBERT GRUNDMANN · BONN

ISBN 3 416 00977 0

INHALTSVERZEICHNIS

I

EINLEITUNG

Die vorliegende Untersuchung geht von der Annahme aus, daß Rainer Maria Rilkes *Die Aufzeichnungen des Malte Laurids Brigge* die Ideale jener literaturgeschichtlichen Epoche verkörpern, welche mit dem Begriff des französischen Symbolismus umschrieben wird. Obgleich es sich hierbei um einen oft angefeindeten Terminus handelt, wollen wir uns darauf stützen, um damit die grundlegende literarische Konzeption des ausgehenden 19. Jahrhunderts in Frankreich zu charakterisieren[1].

In dieser Abhandlung soll keineswegs die Behauptung aufgestellt werden, daß die *Aufzeichnungen* nur als ein symbolistisches Prosawerk verstanden werden können. Es gibt durchaus verschiedene Ansatzpunkte, die poetologische Grundlage des Buches zu beleuchten. Davon legen die bisherigen Interpretationsversuche beredtes Zeugnis ab. Wir haben es uns lediglich zur Aufgabe gemacht, einen allerdings bedeutsamen Aspekt genauer zu erforschen und sehen deshalb von einer detaillierten Auseinandersetzung mit früheren Deutungen andersartiger Richtung ab.

Unser Hauptaugenmerk wollen wir auf die ästhetischen Voraussetzungen des *Malte* sowie auf den Umfang dichtungstheoretischer Übereinstimmung zwischen dem Prosabuch und den Konzeptionen des ‚symbolisme' lenken[2]. In Anbetracht dieser Tatsache lassen wir die erzählerischen Situationen des ganzen Werkes zugunsten einer vorwiegend theoretischen Analyse auswählenden Charakters in den Hintergrund treten. Letztere setzt im übrigen eine genaue Kenntnis des Gesamttextes voraus. Daß dadurch ein hohes Maß an Abstraktheit erreicht wird, liegt in der Natur der Sache und in der Absicht des Verfassers. Weiterhin halten wir es für gerechtfertigt, unsere Erörterung auf mehreren Stufen gleichzeitig durchzuführen, d. h. theoretische Betrachtungen verschiedenster Herkunft und konkrete Textstellen in unmittelbaren Zusammenhang zu bringen, um dadurch der dichterischen Vielfalt des Buches sowie der ästhetischen Totalität von Schriftsteller, Protagonist, Werk und literarhistorischen Vorbedingungen volle Gerechtigkeit widerfahren zu lassen.

Rilkes seelische und ästhetische Verwurzelung in der französischen Literatur wird vom Dichter selbst durch zahllose Geständnisse bezeugt und ist von der Kritik in gebührender Weise gewürdigt worden[3]. In dem

Zusammenhang kommt dem „Erbe des Symbolismus" — um ein Diktum von C. M. Bowra aufzugreifen — ein besonderer Anteil zu, wie Ralph Freedman betont: „Unusually sensitive and open to influence he literally sucked in the atmosphere provided by the symbolist movement and its followers...[4]" Auch Bowra erkennt Rilkes Affinität mit der französischen Bewegung an, indem er ein erhebliches Maß an Prädisposition auf seiten des Dichters hervorhebt: „His career is almost a commentary on Symbolism ... It is as if he had been intended by nature to be a Symbolist ... His career shows how natural the ideals and methods of the Symbolists were to [him]...[5]" Ganz besonders verweist R. - M. Albérès auf den symbolistischen Charakter des Prosabuches, dessen Verfasser er zu den „conteurs post-symbolistes" rechnet[6]. In Anerkennung dieser Urteile soll die vorliegende komparatistische Erhellung intimeren Einblick in den schöpferischen Prozeß eines Werkes gestatten, dem ein Kenner des französischen Symbolismus das Prädikat „the finest and perhaps the purest piece of Symbolist fiction" verliehen hat[7]. Besonderen Nachdruck wollen wir dabei auf jenen Gesichtspunkt symbolistischer Apperzeption legen, unter dem Charles Chadwick den Dichter als Symbolisten sieht: „ ... Rilke is cast very much in the Symbolist mould by virtue of his constant search for a greater reality behind and beyond the surface of experience...[8]"

Eine derartige naturgegebene Veranlagung zum Symbolisten macht jegliche Erörterung eines unmittelbaren Einflusses als einzig gültigen Beweis unserer These überflüssig[9]. Aus dem Grunde halten wir es für angebracht, unsere Diskussion auf der Basis „paralleler Konstellationen" durchzuführen[10]. Ausschlaggebend für den methodischen Ansatzpunkt dieser Arbeit ist demzufolge eine Erkenntnis, die Ernst Robert Curtius folgendermaßen dargelegt hat: „Echte Kritik will nie beweisen, sie will nur aufhellen. Ihr metaphysischer Hintergrund ist die Überzeugung, daß die geistige Welt sich nach Affinitätssystemen gliedert[11]." Als Kernbegriff der vorliegenden Analogiestudie postulieren wir deshalb ein ‚wahlverwandtschaftliches' Verhältnis, welches die Polarität von direkter fremder Einwirkung und schöpferischer Selbständigkeit neutralisiert[12]. Eine solche Vorstellung kennzeichnet nämlich auf besonders treffende Weise Rilkes Beziehungen zur französischen Literatur.

Aus verständlichen Gründen müssen wir im Rahmen unserer Betrachtung auf eine ins Einzelne gehende Diskussion der symbolistischen

Bewegung in ihrer ganzen Breite verzichten. Jene Dichter, die im allgemeinen zum ‚symbolisme‘ gerechnet werden, zeichnen sich durch eine ausgesprochene Individualität und Mannigfaltigkeit ästhetischer Ansichten und Praktiken in Einzelheiten aus. Dessen ungeachtet lassen sie sich aber im Hinblick auf grundsätzliche theoretische Auffassungen durchaus auf einen gemeinsamen Nenner bringen. Diese Einsicht, zu der ein kritisches Studium der bisherigen Auseinandersetzung mit dem Symbolismus führt, soll den Ausgangspunkt unserer Analyse bilden. Wir berufen uns daher für die Zwecke dieser Untersuchung nur auf grundlegende Vorstellungen einer symbolistischen Aufnahme- und Wiedergabeweise.

Maßgebend für den Versuch, die *Aufzeichnungen* mit den Absichten des französischen Symbolismus zu identifizieren, ist die Erkenntnis der Tatsache, daß das Zerbrechen der realen Welt unter dem zersetzenden Blick des Ichs, welches die Leere des Äußerlichen als Spiegel der eigenen inneren Ausgehöhltheit durch die Schaffung neuer Werte zu ersetzen trachtet, einerseits die Grundlage moderner Ästhetik bildet und andererseits den wesentlichen Charakter des ‚symbolisme‘ ausmacht, der als Ursprung dieser Tendenz anzusehen ist[13]. Wenngleich gewisse Merkmale dessen, was die Moderne konstituiert, bereits in Äußerungen von Dichtern zu finden ist, die der symbolistischen Bewegung im spezifischen Sinne vorangehen, so hat erst der historische Symbolismus mit seiner „Dialektik der Vernichtung"[14] solche idealistische Sprachauffassung voll ausgeprägt und überdies als Katalysator für die dichtungstheoretischen Umwälzungen der nachfolgenden Zeit gedient. Die fundamentale Wahrheit dieser Entwicklung liegt in der erwähnten Disintegration der Dingwelt: „Ein wichtiger Satz, da er die Grundlage jener Ästhetik beschreibt, die, von der Philologie unter dem Namen des ‚Symbolismus‘ versammelt, die eigentliche moderne Ästhetik schuf . . ."[15] Die Verneinung der Außenwelt an sich gewinnt aber gerade in der Poetologie der Symbolisten einen positiven Charakter, indem das Ich die Negierung der Empirie als Vorwand benutzt, um einen persönlichen Kosmos zu schaffen, aus der Verwerfung des Dinglichen wird also ein Versuch der Rekonstituierung.

Unter dem Gesichtspunkt des Auseinanderfallens der gewohnten Zusammenhänge ergibt sich ebenso für Rilke „das Kunstwerk als ein auch schon Verdrängtes aus einer Welt, die bis ins Letzte vom Schlag und Rückschlag des Scheinbaren ausgefüllt ist"[16]. Angesichts des Trügerischen bemüht sich deshalb Malte Laurids Brigge, das Wort von seinem chimärischen Aussagecharakter zu befreien. Die sehende Zerbröckelung des Oberflächengerüstes vernichtet zwar die bekannten Realitätsstrukturen als sinnentleerte Phänomene, transponiert sie aber zugleich in neuartige Vorstellungen, in „ein neues Leben voll neuer Bedeutungen" dank der „neuen Kraft", die das Ich aus der Negierung des Faktitiven und simultanen Anverwandlung des Empirischen gewinnt[17]. Damit werden die an sich sinnlosen Erscheinungen des Daseins einem ästhetischen Zweck zugeführt, der „ihm [Malte] die Welt verwandelte". (754) Einmal erweist sich also die Nichtigkeit des Realen als eine unabänderliche Tatsache: „ . . . und alles wird seinen Sinn verloren haben, und dieser Tisch und die Tasse und der Stuhl, . . . alles Tägliche und Nächste wird unverständlich geworden sein, fremd und schwer." (755) Zum anderen tritt in die dadurch entstandene „Leere" ein Suchen nach den absoluten Werten, so daß sowohl die Sinnlosigkeit des Objektiven als auch das sich darin spiegelnde Nichtigkeitsgefühl des Subjekts auf eine höhere Ebene verlagert werden. Der hier erhobene Anspruch läuft auf die Bedingung hinaus, daß einzig die totale Eliminierung jeglichen vorgefaßten Sinnes im Bereich des Wirklichen wie auch im Bewußtseinsraum des Ichs den authentischen schöpferischen Akt möglich macht. Die Sprache besinnt sich auf ihre ursprüngliche Substanz, auf ihr Wesen-an-sich.

Eine solche Deutung der poetischen Intentionen, wie sie in den *Aufzeichnungen* zutage treten, ist ein unmißverständliches Echo auf die Absichten des Symbolismus. Wenn der Dichter nach Wilhelm Emrich im *Malte* „die Zertrümmerung einer zweiten geschlossenen Wirklichkeit radikal durchführte"[18], dann versucht er, besagte Ausschaltung des Empirischen und somit die Unmöglichkeit einer erzählerischen Fiktion durch die Schaffung einer rein ästhetischen Realität auszugleichen. Das Inhaltliche ist aber nicht von vornherein bedeutungslos. Während der Inhalt in der vorsymbolistischen Epoche den eigentlichen Zweck der Darstellung abgibt, wird er vom Symbolismus zwar als Endzweck verurteilt, spielt dafür aber eine Rolle als Verwandlungsvorwand für die Transzendierung des Fiktiven. Die Präsenz des Inhaltlichen wird also zur unbedingten Voraussetzung für seine eigene Vernichtung zugunsten des rein Ästhetischen. ‚Ästhetisch' bedeutet hier in erster Linie ‚fiktionsfrei'. Das poetische Oeuvre wird dadurch zu einem sprachschöpferischen Akt, einem „Wagnis der Sprache"[19] im exklusiven Sinne des französischen Symbolismus, genauer gesagt, zu einem Mallarméschen „Coup de Dé".

Denn sowohl Rilke als auch der Franzose setzen sich mit den Konsequenzen auseinander, die ihnen aus dem Zerfall der Umwelt erwachsen, beide suchen im Streben nach dem Absoluten einen Ausweg aus ihrem kreativen Dilemma. Mit Fug und Recht bemerkt hierzu Marianne Kesting: „... diesem in Deutschland im Grunde wenig bekannten Dichter [Mallarmé] verdankt die moderne Ästhetik die eindringlichste Deutung des geschichtlichen Sachverhalts und der Antwort der Literatur"[20].

„Ennemis de l'enseignement, de la déclamation, de la fausse sensibilité, de la description objective ..."[21] Mit diesen Worten leitet Jean Moréas im sog. symbolistischen Manifest, das am 19. September 1886 im Figaro Littéraire veröffentlicht wurde, seine an Mallarmé inspirierte Charakterisierung symbolistischer Ästhetik ein. Im gleichen Sinne hatte dieser nachdrücklich jegliches „narrer, enseigner, même décrire" einer als trügerisch entlarvten Wirklichkeit abgelehnt[22]. „Ainsi dans cet art", erklärt Moréas weiter, „les tableaux de la nature, les actions humaines, tous le phénomènes concrets ne sauraient se manifester eux-mêmes; ce sont là des apparences sensibles destinées à représenter leurs affinités ésotériques avec des Idées primordiales[23]." Einen Widerhall findet solche Auffassung von der Funktion der Außenwelt als einem bloßen „Vorwand" in Rilkes Aufsatz „Moderne Lyrik" (1898), dem maßgebliche Tendenzen des französischen Symbolismus zugrunde liegen[24]. Dort heißt es u. a.: „Aber selbst dieser feine Gefühlsstoff ... erscheint mir nur der Vorwand für noch feinere, ganz persönliche Geständnisse, die ... bei dieser Gelegenheit in der Seele sich lösen und ledig werden. ... weil gerade da ... die reine Kunst-Absicht hervortritt hinter dem Kunst-Vorwand ... weil der Vorwand, als welcher mir stets der Stoff erscheint, um so vieles durchscheinender, beweglicher und veränderlicher ist ... gewisse tiefinnerste Sensationen loszuwerden ..."[25] Der Dichter tritt hier als Verfechter einer „reinen Kunst-Absicht" auf, der es darum zu tun ist, die Idee an sich den Schlacken des Stofflichen zu entreißen. Er folgt damit der Tradition des Symbolismus, der sich eine solche Purifizierung zum Ziel gesetzt hat, und zwar auf dem Weg über eine suggestive Magie, welche die Spaltung von Subjekt und Objekt im ästhetischen Erlebnis aufhebt[26]. Denn die Degradierung der materiellen Welt — „dieser Stoff ist an sich weder interessant, noch bedeutend"[27] — erfordert ein Bewußtsein, das „Seele und Außenwelt wieder ungesondert sah und ..., weit davon entfernt, trennen zu wollen, was des einen oder des anderen ist, seine Aufgabe darin fand, diese beiden sich ergänzenden Elemente des Lebens, gerade in ihrem fortwährenden Verflochtensein, möglichst gewissenhaft und einfach darzu-stellen"[28]. An diese dichtungstheoretische Haltung knüpft Rilke in seinem Kommentar zu den *Aufzeichnungen* aus dem Jahre 1925 an: „Im *Malte* kann nicht die Rede davon sein, die vielfältigen Evokationen zu präzisieren und zu verselbständigen. Der Leser kommuniziere nicht mit ihrer geschichtlichen oder imaginären Realität, sondern durch sie, mit Maltes Erlebnis... Die Verbindung [mit den Objekten der Umwelt] beruht in dem Umstand, daß die gerade Heraufbeschworenen dieselbe Schwingungs-zahl der Lebensintensität aufweisen, die eben in Maltes Wesen vibriert[29]." Dem Prosabuch wird somit ein Merkmal zugeschrieben, das Moréas wie folgt kennzeichnet: „Que l'art ne saurait chercher en l'objectif qu'un simple point de départ extrêmement succinct[30]."

Es geht darum, die Objektwelt als Materialquelle zu benutzen, in welcher die Dinge nicht mehr um ihrer selbst willen da sind, sondern zum Zwecke der sprachlichen Verwirklichung gewisser zentraler Einsichten. Letztere gelangen in den *Aufzeichnungen* vermittels identischer Gestimmt-heit von Beobachter und Wahrgenommenem zur Darstellung: „[Maltes] Notzeit und die große Notzeit der avignonesischen Päpste", fährt Rilke in seiner Analyse des Werkes fort, „wo alles nach außen trat, was nun heillos nach innen schlägt, sind gleichgesetzt: es kommt nicht darauf an, daß man mehr von den Beschworenen weiß, als der Scheinwerfer seines Herzens erkennen läßt. Sie sind nicht historische Figuren oder Gestalten seiner eigenen Vergangenheit, sondern Vokabeln seiner Not: darum lasse man sich auch ab und zu einen Namen gefallen, der nicht weiter erläutert wird...[31]" Ziel symbolistischer Repräsentationskunst ist es, solche „Figuren" lediglich „anzudeuten" anstatt sie „namentlich herauszu-stellen", das Verborgene durch eine suggestive Gestaltung der Hauptidee auszudrücken, um „die Spannung dieser Anonymitäten" für sich sprechen zu lassen[32]. Sinngemäß heißt es im symbolistischen Manifest: „... la poésie symbolique cherche à vêtir l'Idée d'une forme sensible qui, néanmoins, ne serait pas son but à elle-même, mais qui, tout en servant à exprimer l'Idée, demeurerait sujette. L'Idée, à son tour, ne doit point se laisser voir priver des somptueuses simarres des analogies extérieures[33]." Diese evozierende Rolle der stofflichen Hülle, aus der die Idee hervorgeht, basiert auf einer analogischen Beziehung zwischen Ich und Welt[34]. Der Symbolist erstrebt demnach keine „relatio mundi", kein „fragloses

Feststellen einer fraglos feststehenden ‚Wirklichkeit' "‚ sondern etwas, was Dieter Hasselblatt in seiner Kafka-Studie als „dahinstellendes Bezeugen einer Bezugnahme" deutet[35]. Dadurch, daß der Bezug an sich in den Vordergrund tritt, die Frage nach seinem Charakter, nach der Möglichkeit der Herstellung von Bezügen überhaupt aufgeworfen wird, ohne letztere als etwas Selbstverständliches vorauszusetzen, verliert die äußere Realität ihre Eigenfunktion, sie wird der Willkür des Ichs unterworfen, das die Formen der Dingwelt ihrer sozial bedingten Scheinobjektivität enthebt.

Welche Folgen hat nun eine solche Dichtungskonzeption für die Romanstruktur? In dem Zusammenhang sollten wir uns ins Gedächtnis rufen, was R. - M. Albérès über die Bedeutung des ausgehenden 19. Jahrhunderts — und damit die Epoche des französischen Symbolismus — für den Roman des 20. Jahrhunderts zu sagen hat: „C'est donc dans la fin du XIXe siècle qu'il faut chercher l'origine de tout ce qui va bouleverser la 'technique' et le 'point de vue' du roman. La plupart des révolutions romanesques du XXe siècle sont l'amplification systématique... de certaines intentions et de certains besoins, qu'il faut dater de la période 1870—1900[36]." Wenngleich der Symbolismus seine reinste und umfangreichste Ausprägung in der Lyrik gefunden hat, so haben seine poetologischen Umwälzungen in der Tat weitreichende Folgen für das Gesamtgebiet der Belletristik, einschließlich des Romans, gezeitigt[37]. Und das, obwohl die Zeit nach 1880 zunächst von einem erheblichen Maß an Mißtrauen charakterisiert ist, welches der Symbolist der Gattung des Romans im herkömmlichen Sinne entgegenbringt. Denn eine erzählende Beschreibung, die auf Motivierung und Intrige im Rahmen psychologischer Erörterung der sog. Wirklichkeit als solcher basiert, widerspricht grundsätzlich der symbolistischen Umweltkonzeption.

„Evoquer au lieu de conter, aimer dans les faits l'émotion qu'ils portent en eux plus que la logique de leur enchaînement...[38]" Diese neuartigen Merkmale symbolistischer Sehweise lassen in Anbetracht der Abneigung gegenüber dem konventionellen Roman einen Prosatyp entstehen, der mehr Beschwörung und Suggestion als eigentliche Erzählung ist. Zur Auflösung der Romanform trägt insbesondere das Prosagedicht bei, das auch von Rilke bei seinen Betrachtungen des *Malte* herangezogen wird[39]. Die Eigenschaften des ‚poème en prose' verleihen dem Roman des Fin de siècle eine einzigartige Geschmeidigkeit, da sich das äußerliche Gefüge jetzt aus einer Reihe von unabhängigen Prosagebilden zusammensetzt, aus

momentan begrenzten Beobachtungs- und Empfindungsabschnitten, „sub-
stituant le discontinu à l'analyse logique . . . l'incongruité à la cohérence,
l'émotion vécue à son commentaire[40]." Jenseits aller erzählerischen
Konvention bestimmt das Element des Unerwarteten die Gesamtkompo-
sition[41], die zu einem ‚künstlichen Paradies' der vielgestaltigen Bewußt-
seinsrealität wird, so daß der Aufbau der Empirie auch im symbolistischen
Roman jene Deformation erfährt, die wir als Grundbedingung symbolistischer Ästhetik schlechthin festgestellt haben: „La conception du
roman symbolique est polymorphe", führt Moréas in dem Zusammenhang
aus, „tantôt un personnage unique se meut dans des milieux déformés par
ses hallucinations propres, son tempérament: en cette déformation gît le
seul réel . . . le roman symbolique édifiera son oeuvre de déformation
subjective . . .[42]"

Selbst wenn der Symbolismus den Roman ablehnt, wendet er sich in
erster Linie gegen einen epochenmäßig bedingten Typ, d. h. gegen seine
realistische Version. Dessen ungeachtet kann ein Prosawerk im Prinzip
ebenso als Ausdrucksform für das Streben des Symbolisten nach der Idee,
dem Reinen und Absoluten dienen, obschon die Poesie für solche Aufgabe
ungleich geeigneter erscheint. Die Definition des Romans, dessen proteus-
hafter Charakter im Laufe seiner Entwicklungsgeschichte offensichtlich
geworden ist, darf sich jedoch keineswegs einzig und allein auf den
Gedanken des Erzählens stützen[43]. Wenn wir diesen Ausschließlichkeits-
anspruch von vornherein aufgeben, eröffnet sich trotz der ablehnenden
Haltung des Symbolisten gegenüber jeglicher „reportage" dennoch die
Möglichkeit, eine Prosaform zu verwirklichen, welche die ästhetischen
Ziele des Symbolismus zu verkörpern vermag. Unter diesem Gesichtspunkt
erweist sich der Ausspruch des Schriftstellers und symbolistischen Theore-
tikers Charles Morice: „Il [der herkömmliche Roman] ne permet pas assez
de transposer"[44] als besonders aufschlußreich. Gerade Rilkes *Malte*
widerlegt die Behauptung des Kritikers, denn die *Aufzeichnungen* versinn-
bildlichen auf eindrucksvolle Weise die Anstrengungen um eine solche
Überwindung der Materie und liefern einen eindeutigen Beweis für den
Versuch, das Ideal des ‚symbolisme' zur Aufgabe eines Prosawerkes zu
machen, nämlich das, was Paul Valéry für den Hauptzweck der „écrits en
prose" hält: „La consommation du texte . . ."[45].

Der symbolistisch inspirierte Roman als poetologisches Exposé, als
ästhetisch-kritische Selbstbetrachtung, wie sie die Dichtung seit Poe und

Mallarmé bestimmt, macht es sich zur Pflicht, dem grundsätzlichen Dilemma der Prosa aus dem Wege zu gehen: „On ne peut, à la fois, dire ce qui est et raconter une histoire[46]." Der fundamentale Widerspruch zwischen dem Bemühen des traditionellen Romans, die Wirklichkeit per se wiederzugeben und zugleich eine Fabel zu erzählen, soll durch die Ausschaltung aller Gegensätzlichkeiten mittels der Suche nach dem Ideellen aufgehoben werden. Die *Aufzeichnungen* lassen sich damit als ‚Buch' im Sinne des Mallarméschen ‚Le Livre' verstehen, als ein Unterfangen, sowohl den Roman an sich als auch die Lyrik als solche im Hinblick auf das alles Gattungsmäßige negierende Absolute zu transzendieren. Erzählerisches und Lyrisches vereinigen sich zu einer absoluten Erfahrung. In gemäßer Weise stimmt die ästhetische Zielsetzung des Prosabuches mit der philosophischen Orientierung von *Un Coup de Dés jamais n'abolira le Hasard* überein, ein Werk, das diesen Versuch wagt, epische und lyrische Bestandteile in einer einzigen, dichtungstheoretisch revolutionären Gestalt zu verschmelzen. So wie der Symbolismus mit der klassischen Trennung von Prosaschriftsteller und Lyriker bricht und sich ausschließlich der Rolle der Sprache, einer kompromißlosen Auseinandersetzung mit dem Wort selbst zuwendet, wird auch im *Malte* die Frage nach dem Verhältnis von Prosa und Lyrik durch die Problematik der Diskrepanz von reinem und unreinem Sprachausdruck in Anlehnung an Mallarmés Unterscheidung zwischen äußerlicher Sprachform und symbolistischer „écriture artiste" abgelöst[47].

In dieser Phase der Erörterung erweist es sich als aufschlußreich für unsere These von der symbolistischen Grundlage des Rilkeschen Werkes, jene Merkmale heranzuziehen, mit denen Jacques Rivière in seinem Essay „Le roman d'aventure" den symbolistischen Roman einer kritischen Stellungnahme unterzieht, wenngleich dies mit einer gegen den Symbolismus gerichteten Argumentation geschieht: „Nous allons voir que tous les caractères de l'oeuvre symboliste peuvent se déduire de ce principe: un esprit qui voit tout, une intelligence qui va tout de suite jusqu'au bout, qui ne trouve pas de résistance dans les choses qu'elle invente, mais qui coule aussitôt au travers et qui, du premier coup, tant elle est fluide, insinuante et perspicace, atteint l'extrémité de son sujet[48]." Aus der Fähigkeit, die Grenzen zwischen dem Materiellen und dem Geistigen zu durchdringen, genauer gesagt, sehend zu deformieren, resultiert das Unvermögen des symbolistischen Romanciers, eine fiktive Realität aufzubauen: „D'abord le sujet même qu'elle se propose. Ce n'est jamais un évènement, une histoire . . . Il ne s'agit pas de l'effet pittoresque (s'il le cherchait, il serait romantique, non pas symboliste), mais de l'effet sur l'âme[49]." Auslöser der beschriebenen Apperzeptionsweise ist eine jeweilige gefühlsmäßige Reaktion des Ichs auf die Seelenlandschaft, als die sich der Stoff darbietet: „C'est toujours une émotion . . . Ce que l'auteur entreprend de fixer, c'est sa réaction sentimentale en face d'un objet ou d'un spectacle qui restent inconnus[50]."

Das Eigentliche kann nur indirekt reproduziert werden, in Form einer Suggestion. Dabei bleiben die materiellen Tatsachen als solche „unbekannt", d. h. sie verlieren ihren Eigenwert. Die äußere Handlung weicht einer sinnbildlichen Aktion. Sie läuft darauf hinaus, daß der Protagonist die Tatsachen in der Umwandlung auf die Quintessenz hin verbraucht, die Emotion sprachlich einverwandelt, um eine wortgewordene Gebärde erstehen zu lassen: „. . . l'oeuvre est soumise . . . à toutes les forces dissolvantes, à tous les acides de la pensée. Ils l'attaquent, ils la rongent, ils l'évident peu à peu, en en enlevant tous les éléments matériels, tout ce qui, énoncé, serait perceptible aux sens; à la fin il ne reste plus qu'une sorte de parfum d'esprit, quelque chose d'insaisissable à la vue et au toucher et que l'âme seule peut distinguer et recueillir. En d'autres termes, l'oeuvre symboliste est une oeuvre dont plus de la moitié se passe dans l'esprit de son auteur. Au lieu que celui-ci cherche à produire hors de lui le plus de la réalité possible, il tâche au contraire d'en consommer le plus possible lui-même[51]." Das Vertilgen des Empirischen, die Beseitigung des ‚Zufalls' geschieht in einem Akt chemischer Umwandlung des sprachlichen Rohmaterials, in deren Verlauf sich das Wesentliche herauskristallisiert: „Préparation négative, opération chimique plutôt que physiologique, expériences internes qui aboutissent à isoler l'essentiel[52]."

Nach Rivière befindet sich der moderne Romancier im Zustand des ‚Abenteuers', d. h. für ihn gibt es keine Ordnungsmaßstäbe, nach denen er sich richten kann, seine Welt schafft sich erst im Augenblick der Niederschrift[53]. „Aventure" meint hier schöpferisches Urerlebnis, die Bloßlegung der formativen Energien des Wortes, des „style", wie Flaubert das kreative Vermögen der Sprache umschreibt[54]. Letztere ersetzt als exklusives Ausdrucksmedium den Verlust des erzählerischen Kontinuums. Die innere Zeugungsfähigkeit des Wortes kompensiert für die Funktion, welche herkömmliche Fiktionselemente wie Personen und Themen

16

gespielt haben. Indem das Sujet als solches seine Vorrangstellung einbüßt, tritt an dessen Stelle Baudelaires „nouvelle poétique" mit ihrer „énergie concise de son langage"[55] sowie Mallarmés Forderung nach einer „expansion totale de la lettre"[56]. Daher gestaltet die symbolistische Prosa ein Werk, in dem sich im Grunde nichts abspielt, es ist im Sinne Flauberts „ein Buch über das Nichts"[57]. Auch in der Rilkeschen Cézanne-Deutung wird diese dichterische Neuorientierung offensichtlich, welche, von Baudelaires „Urvokal" ausgehend, in die Vorherrschaft des „Irrationalen" einmündet[58], „denn alle Annäherung ans Absolute enthält Unendlichkeitsqualitäten, und alle Unendlichkeit enthält Irrationalität"[59]. „Ir-rational" bedeutet die Absage an eine ‚rationale' Oberflächenschau. Indem die Kunst sich von der „Dekoration", d. h. von der Realebene der Sprache abwendet, bedient sie sich gleichzeitig entsprechend symbolistischer Praxis dieses Uneigentlichkeitscharakters, um das Eigentliche anzudeuten. Durch die Besinnung auf „die Kraft der Ur-Assoziation, die eben aller Sprachschöpfung vorausgeht . . ."[60], erscheint im unreinen Sprachgewand das Wort als „Ur-Symbol", als Verheißung potentieller Wesentlichkeit: „Im Schatten seines [Baudelaires] Werkes hat die nach-baudelairesche Dichtung eine neue Sprache . . . geschaffen, eine Sprache, die sich, vor allem unter Mallarmés Leitung, zu immer schärferer Konstruktivität entwickelt und hierdurch — gleich der nach-cézanneschen Malerei — in erstaunlicher Weise mehr und mehr geeignet wurde, das Essentielle des Seins, das Essentielle des Menschen darzustellen, d. h. das Irrationale zu einer neuen scharfpräzisen Rationalität zu verwandeln[61]." Das ‚Abenteuer' des Romanciers wird konsequenterweise zu einem ästhetischen Glücksspiel um den Wurf nach dem Höchsten „and . . . in this crucial sense, the ‚roman d'aventure' — and indeed the modern novel as a whole — is an outgrowth of the symbolist aesthetic"[62]. Anhand solcher entscheidender Vorstellungen einer symbolistischen Dichtungskonzeption — Sehen, Emotion, Suggestion, Bezug, Zufall, Leere, Urkraft des Wortes, ‚Würfelwurf' — und den sich daraus ergebenden ästhetischen Folgen werden wir im Hauptteil der vorliegenden Untersuchung die poetologische Grundlage des *Malte* eingehender analysieren.

Obige Kennzeichnung symbolistischer Prosa verwirklicht eine grundlegende Absicht der neuen Poetik, nämlich die ästhetische Synthese. Mit dieser Frage befaßt sich Charles Morice in seiner maßgebliche Abhandlung *La Littérature de tout à l'heure*[63]. Darin führt der Verfasser die

Bestrebungen der modernen Dichtergeneration auf das Versagen der bisherigen Kunstanschauung zurück, eine echte „synthèse esthétique ... synthèse dans la Pensée, dans l'Idée et dans l'Expression" zu schaffen[64]. Die Realisierung dieses Ideals liegt in der erwähnten Rolle der Suggestion als Sprache der „correspondances" und „affinités" zwischen Subjekt und Objekt[65]. Eine solche Geheimchiffre beschwört die Möglichkeit, das Unaussprechliche selbst zu sagen, wie auch für Rilke das Unzugängliche in entsprechender Form sichtbar wird: „Le visible est pris d'une main sûre, il est cueilli comme fruit mûr, mais il ne pèse point, car à peine posé, il se voit forcé de signifier l'invisible[66]."

Wenden wir uns nun dem Prosabuch im besonderen zu, dann sehen wir, daß bereits die Wahl des Titels — *Aufzeichnungen* — typisch für die symbolistische Fundierung des Werkes ist. Die Vorstellung des Aufzeichnens liefert einen Hinweis auf den werdenden Charakter der Kunstform. Sie befindet sich ‚in statu nascendi' und besitzt daher das Potential, jede Fiktion prinzipiell als suspekt anzusehen. Ihr Thema ist demzufolge die Entrealisierung der Realität. Im *Malte* zeichnet sich jener Umbruch in der Prosa ab, der bereits in Rimbauds „Voyant"-Brief theoretisch belegt ist: „La Poésie ne rhythmera plus l'action; elle sera en avant[67]." Das Primat des Poetischen bedeutet die Verlagerung des Schwergewichts vom Beschreiben auf das, was der Rilkesche Protagonist als das „Geschriebenwerden" definiert. Das aufzeichnende Ich, lediglich dem Schöpferischen verpflichtet, spielt mit den ästhetischen Chancen jenseits des objektiv Gegebenen. Seine Tätigkeit schafft einen Ent-wurf, einen ‚Würfelwurf' nach dem Absoluten.

Der Begriff des Aufzeichnens beinhaltet weiterhin die Vorherrschaft des Wortes, die Auseinandersetzung mit dem Sprachmaterial an sich, um 'le mot juste' als Träger des Wahren in der Tradition des Symbolismus zu finden, Maltes „erstes Wort eines Verses ..." (725) Der Däne ist also dem Mallarméschen Diktum verbunden, daß Verse nicht mit Ideen als stofflichen Phänomenen, sondern einzig mit Worten gemacht werden[68]. Die Substanz eröffnet sich in der Rückkehr zu den Wurzeln der Sprache, zur ursprünglichen Keimfähigkeit des Logos. Die sprachliche Gebärde wird dabei auf ein reines Selbstgespräch reduziert[69]. Lediglich der Monolog, für den sich Rilke schließlich auf Kosten des anfangs vorgesehenen Dialogs entscheidet[70], vermag das Zufällige einer Fiktion auszuschalten. Es handelt sich um eine Gesprächsform, die Maurice Maeterlinck als einen „dialogue du second degré" bezeichnet[71]. Diese Art von Dialog ist das ideale Gefäß konsequenter Selbsterforschung: „Trouver une langue", lautet Rimbauds gemäße Formulierung, „cette langue sera de l'âme pour l'âme, résumant tout, parfums, sons, couleurs ..."[72].

Indem der Symbolist den „pittoresken Effekt", wie Rivière sich ausdrückt, d. h. die mimetische Abbildung der Empirie sowie die erzählerische Ausgestaltung um ihrer selbst willen zurückdrängt, wendet sich das Ich dem schöpferischen Akt als Urerfahrung zu. Dieser Notwendigkeit ist sich auch Malte Laurids Brigge bewußt. Letzterer stellt sich in dem Zusammenhang die entscheidende Frage: „War ich ein Nachahmer und Narr, daß ich eines Dritten bedurfte ...? " (725) Darin kommt der Zweifel des Symbolisten an der Objektwelt und ihrer Repräsentation zum Ausdruck. Gerade um die Eliminierung des „Dritten" kreisen die Anstrengungen des Dänen, da der „Dritte" den Zugang zum Wesentlichen versperrt: „Daß dieser Dritte, der durch alle Leben und Literaturen geht, dieses Gespenst eines Dritten, der nie gewesen ist, keine Bedeutung hat, daß man ihn leugnen muß." (*Ebd.*) Er stellt die Erscheinungswelt der äußeren Phänomene dar, den Mallarméschen „hasard": „Er gehört zu den Vorwänden der Natur, welche immer bemüht ist, von ihren tiefsten Geheimnissen die Aufmerksamkeit der Menschen abzulenken. Er ist der Wandschirm, hinter dem ein Drama sich abspielt." (*Ebd.*) Der „Dritte" macht es dem Ich unmöglich, eine direkte Beziehung zur Wesenheit der Dinge aufzunehmen: „Man möchte meinen, es wäre allen bisher zu schwer gewesen, von den Zweien zu reden, um die es sich handelt", (*ebd.*) nämlich um das Verhältnis des Sichtbaren zum Unsichtbaren. Er bildet die Oberfläche des Erlebnisses, „das Leichte der Aufgabe", die unechte Handlung, „gerade weil er so unwirklich ist ..." (*Ebd.*) Hinter dem „Dritten" aber, unter dem Schein der direkten Wahrnehmung, dem angeblich „Unersetzlichen, der die Handlung selbst war ... der künstlichen Leere ... des haltlosen Hohlraumes" (726) gilt es, „das Versäumte" nachzuholen, (728) die Vereinigung „der beiden Enden", (785) d. h. die Identifizierung der zwei Erfahrungshälften des Innen und Außen zu realisieren.

In jenem zentralen Gedanken Maltes, der mit den Worten „Ist es möglich ...? " eingeleitet wird, kommt der ganze Zweifel des Symbolisten an der Empirie in seiner vollen Tragweite zum Ausbruch: „Ist es möglich, ... daß man noch nichts Wirkliches und Wichtiges gesehen, erkannt und gesagt hat? ... Ja, es ist möglich. Ist es möglich, daß man trotz Erfindungen und Fortschritten, trotz Kultur, Religion und Welt- weisheit an der Oberfläche des Lebens geblieben ist? " (726—27) Da das realistische Verfahren beim bloßen Abklatsch der Natur verharrt, entschließt sich der Däne, die Fülle des Tatsächlichen mit dem Röntgen- blick des Symbolisten zu deformieren und die Reproduktion reiner Fakten zur Wiedergabe des Unsichtbaren zu steigern, da „alle Wirklichkeiten nichts sind für ihn". (727) So handelt er als Jünger Mallarmés, der diesbezüglich ausführt, „que tout, au monde, existe pour aboutir à un livre[73]. ‚Buch' wohlverstanden in der Bedeutung des ‚oeuvre absolue'. Eben „weil mit dem Sagen nur unrecht geschieht", (826) da sich nur „kurze Scheinsätze ... bilden" lassen, „die ohne Sinn sind", (944) versucht Rilkes Protagonist, „des Unfaßlichen" habhaft zu werden, (785) um durch den sakralen Anspruch seines Werkes die verlorene Dimension des Absoluten zurückzugewinnen. Die Unerläßlichkeit eines solchen Unternehmens verdeutlicht er sich am Beispiel des Marquis von Belmare, indem er dessen „oberflächliche Existenz" „gegen den Strom" liest: „Damit ging er fort und legte draußen für die Leute seinen Tierpark an, eine Art Jardin d'Acclimatation für die größeren Arten von Lügen ... und ein Palmenhaus von Übertreibungen und eine kleine, gepflegte Figuerie falscher Geheimnisse". (849)

„Daß man erzählte, wirklich erzählte, das muß vor meiner Zeit gewesen sein." (844) Mit dieser Einsicht beginnt für Malte der lange Weg einer Auslegungsweise, „an der die vielen Würmer seiner Vermutungen zugrunde [gehen]", (865) nachdem es ihm gelungen ist, sich dem Bannkreis des „Dritten", unter dessen Verführung sein früheres Schaffen gestanden hat, zu entziehen. „Diesen dürftigen Handfertigkeiten", die ihm „das Leben zur Absicht" gemacht haben, „das Schicksal Eingebildeter und Erfundener" zu schildern, ist die klare Erkenntnis gewichen, daß das Dasein niemals „wörtlich" zu „nehmen" ist „wie ein Text". (967—68) Die hier ausge- sprochene Notwendigkeit einer wirklichkeitsenthobenen Poetik, welche sich einem fiktionalen Handlungsbezug der Abschnitte des Prosabuches prinzipiell widersetzt, transzendiert die Stufe zweckbestimmter unmittel- barer Repräsentation zugunsten einer versinnbildlichenden Darstellungs- form, die auf eine zweckfreie reine Ästhetik tendiert. Aber nur unter der Voraussetzung, daß der ‚Gott' in der Parabel vom Verlorenen Sohn schließlich doch noch „will", wird jede trügerische Fiktion endgültig überwunden werden können: „Wenn Gott ist, so ist alles getan und wir sind triste, überzählige Überlebende, für die es gleichgültig ist, mit welcher Scheinhandlung sie sich hinbringen." (967)

In Übereinstimmung mit den ästhetischen Grundforderungen des ‚symbolisme' machen das Gefühl des „gouffre", das bei Malte die Empfindung des „Schwindels" erregt, das literarische Exildasein des auf sich selbst verwiesenen Dichters, dessen Existenz einem „Interregnum" gleichkommt[74], der Gedanke des künstlerischen Daseins als einer fortwährenden Krise, die Ablehnung des Materiellen und Sinnlichen, das Zusammenspiel von Traum und Wirklichkeit sowie das Streben nach der reinen Erscheinung das grundsätzlich symbolistische Milieu der *Aufzeichnungen* aus. Mit dem Versuch, das Akzidentelle des Daseins zu eliminieren -- „ein jeder Tag soll und muß seinen Sinn haben, und erhalten soll er ihn nicht vom Zufall, sondern von mir — . . ." — läßt der Verfasser seinen Protagonisten Mallarmés Tantalusqual durchleiden, „die Welt" als „den großen gemeinsamen Zufall" in seinem persönlichen Äquivalent von ‚Le Livre' — „Warum ich auf einmal so viel schreibe? Weil ich wieder: beginne. . . . Wozu? Es ist alles ein Buch" — einer Metamorphose zu unterziehen[75]. Dem „Heiligen" nacheifernd nimmt Malte mit seinem ästhetischen Priestertum das Schicksal der Empirie auf sich, bürdet er sich den Sündenfall der Dinge, den „hasard" auf, um durch das Leiden am Stofflichen die Erlösung der Materie herbeizuführen und so den unreinen Stoff auf seinen ursprünglichen Zustand der Unschuld, auf die ‚notion pure' zurückzuleiten[76].

II

DIE SEHEND—ANDEUTENDE DARSTELLUNGSFORM UND ÄSTHETISCHE ANVERWANDLUNG DES EMOTIONALEN

Das Wesenhafte vermag vom Beobachter lediglich in Form einer Andeutung der Quintessenz gesehen zu werden. Das absolute Sehen, d. h. die rücksichtslose Enthüllung des Daseins ist im Grunde genommen nicht vom Naturalismus, sondern vom Symbolismus folgerichtig entwickelt worden[77]. Indem der Dichter die Wirklichkeit sogar in ihren extremsten Auswüchsen konfrontiert, stößt er zum Eigentlichen vor. Dem Häßlichen obliegt also die Funktion eines künstlichen Paradieses, welches die Existenz des authentischen Paradieses verbürgt. So erfährt auch Malte Laurids Brigge in Anlehnung an Baudelaires Erfahrung in „La Charogne" „in diesem Schrecklichen, scheinbar nur Widerwärtigen das Seiende . . ., das unter allem Seienden gilt."(775) In dem Zusammenhang verkennt er allerdings die ausschlaggebende Bedeutung der letzten Strophe dieses Gedichtes. Die darin geäußerte Feststellung: „Que j'ai gardé . . . l'essence divine de mes amours décomposés"[78] deckt sich im Prinzip mit der Deformationstheorie, die wir für das Prosabuch aufgestellt haben, nämlich mit der Auflösung des Akzidentellen zugunsten der ‚göttlichen Wesenheit'.

Kennzeichnend für die symbolistische ‚liaison' der *Aufzeichnungen* ist diesbezüglich die Wahl von Paris als anfänglichem Erkenntnisgrund. Nicht von ungefähr bietet sich die französische Hauptstadt mit der Suggestionskraft und Transparenz ihrer Materie dem durchdringenden und deformierenden Blick des Symbolisten als Wahrnehmungssphäre ‚par excellence' an, indem dieser zwar die Stofflichkeit der Stadt an sich reproduziert, das städtische Milieu aber ebenso zur symbolischen Seelenlandschaft steigert[79]. Auf dieser Prämisse beruht Emile Verhaerens klassische Beschreibung symbolistischer Apperzeption am Beispiel der französischen Metropole. Die poetologische Affinität dieses Verfahrens mit Maltes Pariser Eingangsszenen, vor allem mit jenen Episoden, in denen die sinnliche Aufnahmeweise dominiert, macht die symbolistische Basis von Rilkes ästhetischem

Standpunkt offenkundig: „On part de la chose vue, ouïe, tâtée, goûtée, pour en faire naître l'évocation et la somme par l'idée. Un poète regarde Paris fourmillant de lumières nocturnes, émietté en une infinité de feux et colossal d'ombre et d'étendue. S'il en donne la vue directe, comme pourrait le faire Zola, c'est-à-dire en le décrivant dans ses rues, ses mers nocturnes d'encre, ses agitations fiévreuses sous les astres immobiles, il en présentera, certes, une sensation très artistique, mais rien ne sera moins symboliste. Si, par contre, il en dresse pour l'esprit la vision indirecte, évocatoire, s'il prononce: 'une immense algèbre dont la clef est perdue', cette phrase nue réalisera, loin de toute description et de toute notation de faits, le Paris lumineux, ténébreux et formidable. Le Symbole s'épure donc toujours, à travers une évocation, en idée: il est un sublimé de perceptions et de sensations; il n'est point démonstratif, mais suggestif, il ruine toute contingence, tout fait, tout détail; il est la plus haute expression d'art et la plus spiritualiste qui soit[80]."

Die Anverwandlung des Wirklichen und sprachliche Gebärdewerdung vollzieht sich in den *Aufzeichnungen* mit Hilfe eines solchen symbolistischen Durchschauens der Oberfläche und der damit verbundenen Suggestion des Wesenhaften. Sehend nimmt Malte die Eigenart der Szenen in sich auf – „Ich wünschte unter diesen Umständen nichts als zuzusehen..." (895) – deformiert er als symbolistischer ‚voyant' die Eindruckswelt zu einer Reihe geistig strukturierter Bilder, denn „tout symboliste est nécessairement aussi un visuel; il faut voir intensément pour suggérer"[81]. Dazu bekennt sich Rilkes Protagonist bereits am Anfang seines Aufzeichnens: „Ich lerne sehen... Habe ich schon gesagt? Ich lerne sehen." (711) Indem er versucht, sich des Kernes der Eindrücke vermittels der suggestiven Wirkung des Dinglichen zu bemächtigen, gestaltet er „eine geistige Aneignung der Welt, ... [die] sich so völlig des Auges bedient..."[82].

Die sehende Zergliederung der Empirie tritt u. a. in jenen Eintragungen zutage, die von Mariana Alcoforado und Eleanora Duse handeln. Hinter der Maske von Nonnenschaft und Schauspielertum erschaut Malte das wahre Leiden dieser Frauen, die Diskrepanz zwischen ihrer eigenen Daseinsfülle und der Unzulänglichkeit der Umgebung: „... eine Verkleidung, dicht und andauernd genug, um hinter ihr rückhaltlos elend zu sein, mit der Inständigkeit, mit der unsichtbare Selige selig sind." (923) Wie die Augen des Marquis von Belmare die Dinge aus ihren gewohnten Zusam-

24

menhängen herauslösen — „Ich aber merkte mir seine Augen . . für diese Augen hätte nichts da sein müssen, die hatten's in sich . . . Ich sage dir, die hätten Venedig hier hereingesehen in dieses Zimmer, daß es da gewesen wäre wie der Tisch" (848) — erfaßt der enthüllende Blick des Dänen die Wahrheit hinter der Erscheinung. Desgleichen läßt sich am Beispiel des Fräulein Brahe das Wesen des Malteschen Sehens begreifen. Daß die Protagonistin an sich belanglos ist und ihre Gesichtszüge nur das Bildnis und darüber hinaus die Eigenart der Mutter wachrufen, erkennt Malte dank der ungewöhnlichen Art seines Blickes. In dem Sinne versteht er auch das Gemälde der Äbtissin: „Das schaute ich in mich hinein, und jetzt ergreift es mich von innen[83]." Damit das schauende Dekompositionsvermögen voll wirksam werden kann, muß nicht nur das Gegenwärtige, sondern auch der Erinnerungsstoff der zersetzenden Sicht des Betrachters ausgeliefert werden. Das erlebt Malte z. B. im Falle des Grafen Brahe: „Was er aber nicht vergessen wollte, das war seine Kindheit . . . daß jene sehr entfernte Zeit nun in ihm die Oberhand gewann, daß sie, wenn er seinen Blick nach innen kehrte, dalag wie in einer hellen nordischen Sommernacht, gesteigert und schlaflos . . ." (846) Zersplitterung und steigernde Einverwandlung der „äußeren Verhältnisse" gehen also Hand in Hand: „ . . . wuchs es [das Innere als Reminiszenz] zu einem Äußersten an und brach dann mit einem Schlage ab." (891) Dank seiner Sehfähigkeit gehen ihm nun „für die unendliche Realität" des „Kindseins die Augen auf", (892) für „das eigentümlich Unbegrenzte der Kindheit, das Unverhältnismäßige, das Nie-recht-Absehbare . . ." (891)

Es handelt sich hierbei um ein „präfiguratives Sehen"[84]. Der Blick des Schauenden löst die feste Gestalt des Empirischen auf, die Welt befindet sich im ursprünglichen Zustand der Gestaltlosigkeit, also vor der Schöpfung und ist damit auch unabhängig von jeglicher begrifflicher Konzipierung. Indem Malte den „Schlüssel der Dinge"[85] ergreift, läßt er die anfängliche Phase des Sehens hinter sich dank der Wortwerdung seiner Beobachtungen und des Verständnisses ihrer Wesenheit, erreicht er die Stufe des Dichterischen[86]: „Es sei zu meiner Ehre gesagt, daß ich viel geschrieben habe in diesen Tagen; ich habe krampfhaft geschrieben . . . Ich schrieb, ich hatte mein Leben . . ." (871) Hinausgehend über das „leere . . . Dasein", welches ihm nur „eine maskige Vorderansicht" bietet, sucht er gesteigert die Quintessenz der Phänomene im Raum jenseits der materiellen Vordergründigkeit: „Alles Geschehen war drüben: Götter und Schicksal. Und von drüben kam . . . der ewige Einzug der Himmel." (922) Mit Hilfe des symbolistischen ‚regard absolu' entkleidet der Protagonist die Oberfläche ihres Scheins, indem er seine persönliche Zuständlichkeit in die Dinge hineinprojiziert und letztere in eine Zeichensprache seines Geistes verwandelt, in „etwas Stabiles . . ., worauf man sehen konnte, innerlich, versteht sich". (870)

Mit der Aufdeckung des objektiven Trugbildes wird Malte in die Lage versetzt, seine eigene Scheinhaftigkeit zu überwinden. So hatte schon Moréas den Helden des symbolistischen Romans konzipiert: „Des êtres au geste mécanique, aux silhouettes obombrées, s'agitent autour du personnage unique: ce ne lui sont que prétextes à sensations et à conjectures . . . Lui-même est un masque tragique ou bouffon, d'une humanité toutefois parfaite bien que rationelle"[87]. Eben diese tragische Maske sucht der Däne abzulegen, „alle Schande, ein Gesicht zu haben", um der Verführung zu entgehen, „ihnen allen [den Mitmenschen] mit dem ganzen Gesicht ähnlich [zu] werden". (940) So legt er die verschiedenen Schichten der Stoffwelt bloß, durchschaut er die Empirie. Dabei kommt er jedesmal „auf einer neuen Oberfläche" an, „die noch lang nicht die oberste war". (844) Dennoch macht er sich an die Aufgabe, trotz der „aussichtslosen Überzahl" des Materiellen „etwas Unverhältnismäßiges zu leisten". (893) Ähnlich wie André Gide, der sich nach eigener Aussage in der Frühzeit unter dem Einfluß des Symbolismus während der Entstehung der *Cahiers d'André Walter* mit Vorliebe solcher Wörter bedient, die etwas Ungewisses, Unendliches und Unsagbares vermitteln[88], tendiert auch Rilkes Sprachform im Prosabuch auf einen andeutenden Aussagemodus. Als dessen Sinnbild kann die „vermantelte Gestalt" in der Parabel gelten. (942) Nicht ohne Grund bemerkt Lou Andreas-Salomé zu diesem Thema: „Denn Worte bauen doch nicht . . . thatsächlich und unmittelbar, vielmehr sind sie Zeichen für indirekt vermittelte Suggestionen . . . [eine] Kunst des Wortlosen . . ."[89] Trotz aller Realistik der Beschreibung ist die suggestiv-verhüllende Neigung der Malteschen Sprache in der spezifischen Eigenart des Werkes begründet, „car le caractère essentiel de l'art symboliste", bestätigt Moréas, „consiste à ne jamais aller jusqu'à la conception de l'idée en soi"[90].

In welchem Ausmaß das Prinzip der Evokation den *Aufzeichnungen* zugrunde liegt, zeigt sich an einer Reihe von Abschnitten. Als Beispiel wählen wir zunächst die „Mauer"-Episode, in der das Sehen und Andeuten eindrucksvoll vorgeführt werden, und zwar in Form eines Fragmentes als Sinnbild symbolistischer Suggestionstechnik. Diese Szene bietet ein vollkommenes Muster für das, was Erich Kahler unter Bezugnahme auf die Erlebnisweise des Symbolisten als „Diaphanie" bezeichnet. Wir wollen an dieser Stelle die maßgeblichen Sätze zitieren, da seine Charakterisierung der Brochschen Prosa auf besonders treffende Art die Struktur des *Malte* erhellt: „Transparent, weil hier durch die völlige Realität die Unter- und Obergründe des Wirklichen durchscheinen. Wenn er eine Landschaft, ein Ereignis, einen Menschen schildert, dann ist alles mit so eindringlichen Sinnen gefaßt und so intensiv, so sinnenah uns vorgestellt, daß wir es zu tasten, zu riechen vermeinen. Es ist eben so sehr wirklich, daß es in eine Überwirklichkeit durchbricht, in Regionen, die nicht etwa weniger wirklich sind, sondern tiefer wirklich, in einer neuräumigen, übersinnfälligen Weise wirklich. In der Tiefe des Diesseits selbst wird ein Jenseits erschlossen, die dichteste Nähe entbindet die weiteste Ferne [91]." Für eine solche symbolistische Verformung der Außenwelt liefert die Mauer-Eintragung einen überzeugenden Beweis: „Man sah ihre Innenseite. Man sah in den verschiedenen Stockwerken Zimmerwände, an denen noch die Tapeten klebten, da und dort den Ansatz des Fußbodens oder der Decke. Neben den Zimmerwänden blieb die ganze Mauer entlang noch ein schmutzig-weißer Raum, und durch diesen kroch in unsäglich widerlichen, wurmweichen, gleichsam verdauenden Bewegungen die offene, rostfleckige Rinne der Abortröhre. Von den Wegen, die das Leuchtgas gegangen war, waren graue staubige Spuren am Rande der Decke geblieben, und sie bogen da und dort, ganz unerwartet, rund um und kamen in die farbige Wand hineingelaufen und in ein Loch hinein, das schwarz und rücksichtslos ausgerissen war. Am unvergeßlichsten aber waren die Wände selbst. Das zähe Leben dieser Zimmer hatte sich nicht zertreten lassen. Es war noch da, es hielt sich an den Nägeln, die geblieben waren, es stand auf dem handbreiten Rest der Fußböden, es war unter den Ansätzen der Ecken, wo es noch ein klein wenig Innenraum gab, zusammengekrochen. Man konnte sehen, daß es in der Farbe war, die es langsam, Jahr um Jahr, verwandelt hatte: Blau in schimmliges Grün, Grün in Grau und Gelb in ein altes, abgestandenes Weiß, das fault. Aber es war auch in den frischeren Stellen, die sich hinter Spiegeln, Bildern und Schränken erhalten hatten; denn es hatte ihre Umrisse gezogen und nachgezogen und war mit Spinnen und Staub auch auf diesen versteckten Plätzen gewesen, die jetzt bloßlagen. Es war in jedem Streifen, der abgeschunden war, es war in den feuchten Blasen am unteren Rande der Tapeten, es schwankte in den abgerissenen Fetzen, und aus den garstigen Flecken, die vor langer Zeit entstanden waren, schwitzte es aus. Und aus diesen blau, grün und gelb gewesenen Wänden, die eingerahmt waren von den Bruchbahnen der zerstörten Zwischenmauern, stand die Luft dieser Leben heraus, die zähe, träge, stockige Luft, die kein Wind noch zerstreut hatte. Da standen die Mittage und die Krankheiten und das Ausgeatmete und der jahrealte Rauch und der Schweiß, der unter den Schultern ausbricht und die Kleider schwer macht, und das Fade aus den Munden und der Fuselgeruch gärender Füße. Da stand das Scharfe vom Urin und das Brennen vom Ruß und grauer Kartoffeldunst und der schwere, glatte Gestank von alterndem Schmalz. Der süße, lange Geruch von vernachlässigten Säulingen war da und der Angstgeruch der Kinder, die in die Schule gehen, und das Schwüle aus den Betten mannbarer Knaben. Und vieles hatte sich dazugesellt, was von unten gekommen war, aus dem Abgrund der Gasse, die verdunstete, und anderes was von oben herabgesickert mit dem Regen, der über den Städten nicht rein ist. Und manches hatten die schwachen, zahm gewordenen Hauswinde, die immer in derselben Straße bleiben, zugetragen, und es war noch vieles da, wovon man den Ursprung nicht wußte.'' (749—51) Aus dem Zitierten läßt sich die Schlußfolgerung ableiten, daß die Prosaform der Rilkeschen *Aufzeichnungen* eine symbolistische Suggestionskunst magischer Beschwörung verwirklicht[92]. Für Malte stellt sich in obigem Erlebnis das Problem der Sagbarkeit des Wahren schlechthin. Sein sprachliches Verfahren bewegt sich am Rand des Schweigens. Die Mauer ist ein Kraftfeld, in dem sich in der Tradition Mallarmés an den ‚gewußten Ruinen' die ‚abwesende Figur des Ganzen' kristallisiert, also jene Grenzerfahrung, die der Franzose in seiner klassischen Formulierung des symbolistischen Credos ausspricht: ,,Nommer un objet, c'est supprimer les trois-quarts de la jouissance du poème qui est faite de deviner peu à peu: suggérer, voilà le rêve. C'est le parfait usage de ce mystère qui constitue le symbole: évoquer un objet et en dégager un état d'âme, par une série de déchiffrements[93].'' Indem der Däne die Wirkung der Bestandteile, welche den Mauerrest konstituieren, in sich aufnimmt, verschwindet für ihn die Vorstellung konkreter Verhältnisse. Sie sind von dem Urbild des Wahrgenommenen — ,,l'idée même et suave'' — abgelöst worden[94]. Derart vollzieht er die eigentliche symbolistische Aufgabe, nämlich die Vergeistigung des Stofflichen, so daß die Zufallsimpressionen in einer schöpferischen Reflexion ineinander übergehen. Dadurch verliert die alltägliche Sprache ihren Gebrauchswert, sie wird auf ihr Wesenhaftes reduziert, sie entwickelt sich zum reinen Gesang der Stille, welcher die traditionelle Scheidung von konkreter und abstrakter Sinnessphäre in den Bereich des Traumes erhebt. In dem Augenblick, in dem Malte gesteht: „Ich erkenne das alles hier, und darum geht es so ohne weiteres in mich ein: es ist zu Hause in mir", (751) hat er die Annahme der ganzen Realität in einen Bereich entrückt, welcher die Gegensätze des Positiven und Negativen in der reinen Erscheinung transzendiert. Sobald das Schreckliche in den Bewußtseinsraum des Dänen eintritt, ist die Idee sinnbildliche Wirklichkeit geworden, existiert sie in einer ‚abwesenden Präsenz'.

Auch das Erscheinen Ingeborgs ist ein Muster evozierender Repräsentation. Hier wird das Apperzeptionsverfahren mit dem Begriff der „Aussparung" umrissen: „Damals fiel es mir auf, daß man von einer Frau nichts sagen könne; ich merkte, wenn sie von ihr erzählten, wie sie sie aussparten, wie sie die anderen nannten und beschrieben, die Umgebungen, die Örtlichkeiten, die Gegenstände, bis an eine bestimmte Stelle heran, wo das alles aufhörte, sanft und gleichsam vorsichtig aufhörte mit dem leichten, niemals nachgezogenen Kontur, der sie einschloß." (785—86) Um eine Frau sichtbar zu machen, gibt es nur ein Mittel für Rilke: „J'ai évoqué surtout des femmes en faisant soigneusement toutes les choses autour d'elles, laissant en blanc qui ne serait qu'un vide, mais qui, contourné avec tendresse et amplement, devient vibrant et lumineux, presque comme un de vos marbres[95]." Die Herausbildung der Idee an sich gelingt nur auf indirektem Wege über die Suggestion vermittels bestimmter Eindrücke, die der Beobachter von den Dingen empfängt, welche die Frau umgeben und ihrerseits deren Eigenschaften suggerieren. Damit erfüllt sich das Diktum Mallarmés, der in dieser Hinsicht erklärt: „Peindre, non la chose, mais l'effet qu'elle produit[96]." Wenn nun Malte eingesteht: „Sehen eigentlich konnte ich sie nur, wenn Maman mir die Geschichte erzählte", (786) dann liefert die vorliegende Begegnung den gültigen Beweis für die radikale Neuausrichtung des herkömmlichen Erzählens. Dieses wird in das genaue Gegenteil seiner ursprünglichen Intention verkehrt, es besagt jetzt die Ausklammerung des zentralen Objektes.

Eindrucksvolle Gestalt gewinnt solche Unmöglichkeit, einen Vorgang in traditioneller Weise zu schildern, in der visuellen Heraufbeschwörung der

Todesszene des Grischa Otrepjow, vor allem in jenen Minuten vor dem Fenstersprung, da die widerstreitenden Gefühle des falschen Zaren einen Kulminationspunkt erreichen, an dem menschliche Worte versagen: „Bisher geht die Sache von selbst, aber nun, bitte, einen Erzähler, einen Erzähler." (844) Die Idee vermag keine volle sinnliche Form anzunehmen, sie kann nur, in Maltes eigenen Worten, als „ein Gleichnis der ... aufgeschlagenen Szene" beschworen werden, an jener Stelle, an der „das kaum Meßbare: ein Gefühl, das um einen halben Grad stieg", (784) Wirklichkeit wird. In solch einem Augenblick höchster Steigerung, in „dem Ausschlagswinkel eines von fast nichts beschwerten Willens" wird dem Dänen ein Blick in „das Leben, unser Leben" gestattet, „das in uns hineingeglitten war, das sich nach innen zurückgezogen hatte, so tief, daß es kaum noch Vermutungen darüber gab." (784–85) Die äußerliche Handlung ist nur eine Anfangsphase: „Dies alles war so natürlich für dich; da gingst du durch, wie man durch einen Vorraum geht, und hieltst dich nicht auf." (783–84) Jenseits der Vorstufe aber offenbart sich dem Beschauer der Kern des Ganzen: „Innerer als dort, wo je einer war; eine Tür war dir aufgesprungen ..." (784) Im Moment der Einsicht gewahrt er „dieses Winzige", die fundamentale Erkenntnis, welche er im symbolischen Enthüllungsakt „ganz allein gleich so zu vergrößern" trachtet, „daß es vor Tausenden sei, riesig, vor allen." (Ebd.)

Die einer realistischen Weltanschauung unzugängliche Sicht in das innerste Geheimnis des Lebens, „in die überzeugendsten Gebärden, in die vorhandensten Dinge" (785) ergibt sich als Resultat „dieser aufgeklärten Augenblicke", (908) in denen sich die Elemente des Daseins innerlich zu einem Verhältnis zusammenfinden, das als indirekte Aussage „des Aufzeigens", d. h. der Suggestion mehr offenbart als die unmittelbare Benennung „des Bildens oder Sagens" es jemals vermöchte: „Es muß dies eine von jenen Tagesfrühen gewesen sein, wie es solche im Juli gibt, neue, ausgeruhte Stunden, in denen überall etwas frohes Unüberlegtes geschieht. Aus Millionen kleinen ununterdrückbaren Bewegungen setzt sich ein Mosaik überzeugtesten Daseins zusammen; die Dinge schwingen ineinander hinüber und hinaus in die Luft, und ihre Kühle macht den Schatten klar und die Sonne zu einem leichten geistigen Schein. Da gibt es im Garten keine Hauptsache; alles ist überall, und man müßte in allem sein, um nichts zu versäumen. In Abelonens kleiner Handlung aber war das Ganze noch mal. Es war so glücklich erfunden, gerade dies zu tun, und genau so, wie sie es tat. Ihre im Schatten hellen Hände arbeiteten einander so leicht und einig zu, und vor der Gabel sprangen mutwillig die runden Beeren her in die mit tauduffem Weinblatt ausgelegte Schale hinein, wo schon andere sich häuften, rote und blonde, glanzlichternd, mit gesunden Kernen im herben Innern." (895) Anhand dieser Idylle erlebt der Protagonist die Realisierung einer harmonischen Existenz dank geheimnisvoller Schwingungen, welche die Dinge der Umwelt miteinander in Verbindung setzen und ihr Getrenntsein in einer alles umfassenden Sphäre überwinden. Die totale Harmonie des Daseins findet „in Abelonens kleiner Handlung" ihren vollkommensten Widerhall. Abelone ist zur reinen Verkörperung des ‚In-Figuren-Lebens‘ geworden. Damit ist das Handlungsmäßige als solches ausgeschaltet, die unsichtbare Bewegung innerhalb der Aufzeichnung evoziert den Aussagewert des Erlebnisses, nämlich „die dynamische Bedeutung jener frühen Welteinheit." (928)

So bewältigt Malte das Näherkommen ans Eigentliche, erfaßt er hinter der stofflichen Vorlage das „Geheimnis" der „Sichtbarkeit". (909) Darüber gibt Rilke selbst im Hinblick auf seinen Protagonisten den nachfolgenden Kommentar ab: „Il apprend à voir . . .: ce qui est là et surtout ce qui n'est pas là: l'absence de bruit, l'absence de vue, l'absence de visage . . . Or, c'est parfois justement ce non-visible, cette absence qui lui donne la clef des choses[97]". Diese Gegenwart des unmittelbar nicht Vorhandenen — Mallarmés „l'absente de tous bouquets"[98] — versinnbildlicht sich Malte wie die Besucherinnen auf Schloß Boussac an den „Teppichen" der Dame à la licorne: „. . . solch ein leises Leben langsamer, nie ganz aufgeklärter Gebärden . . . das in diesen gewebten Bildern strahlend vor ihnen aufgeschlagen ist in seiner unendlichen Unsäglichkeit", ein Dasein, von dem ,Dreiviertel‘ „unterdrückt" ist, das sich aber gerade deswegen um so „unabänderlicher" erweist[99].

Für diese Suggestionsmethode ist auch die Spitzen-Eintragung repräsentativ: „Da kamen erst Kanten italienischer Arbeit, zähe Stücke mit ausgezogenen Fäden, in denen sich alles immerzu wiederholte, deutlich wie in einem Baumgarten. Dann war auf einmal eine ganze Reihe unserer Blicke vergittert mit venezianischer Nadelspitze, als ob wir Klöster wären oder Gefängnisse. Aber es wurde wieder frei, und man sah weit in Gärten hinein, die immer künstlicher wurden, bis es dicht und lau an den Augen war wie in einem Treibhaus: prunkvolle Pflanzen, die wir nicht kannten, schlugen riesige Blätter auf, Ranken griffen nacheinander, als ob ihnen schwindelte, und die großen offenen Blüten der Points d'Alençon trübten alles mit ihren Pollen. Plötzlich, ganz müde und wirr, trat man hinaus in die lange Bahn der Valenciennes, und es war Winter und früh am Tag und Reif. Und man drängte sich durch das verschneite Gebüsch der Binche und kam an Plätze, wo noch keiner gegangen war; die Zweige hingen so merkwürdig abwärts, es konnte wohl ein Grab darunter sein, aber das verbargen wir voreinander. Die Kälte drang immer dichter an uns heran, und schließlich sagte Maman, wenn die kleinen, ganz feinen Klöppelspitzen kamen: ‚Oh, jetzt bekommen wir Eisblumen an den Augen', und so war es auch, denn es war innen sehr warm in uns." (835) Im Mittelpunkt des soeben zitierten Erlebnisses steht die Beseitigung der Schranken zwischen Ich und Objektwelt. Das bewirkt wiederum die Eliminierung des Dinglichkeitscharakters der Impressionen. Der Exklusivanspruch des Körperlichen weicht aufs neue dem des Geistigen. Auch in diesem Fall kann der eigentliche Sinn der Episode nicht direkt ausgesprochen werden. In welchem Maß die vorliegende Eintragung des Prosabuches der symbolistischen Evokationsästhetik verpflichtet ist, zeigt Rilkes eigener Kommentar: „Wie vor Jahren in Paris die Spitzen, so begriff ich plötzlich, vor diesen ausgebreiteten und abgewandelten Geweben, das Wesen des Shawls! Aber es sagen? Wieder ein Fiasko. Nur so vielleicht, nur in den Verwandlungen, die ein begreifliches langsames Hand-Werk erlaubt, ergeben sich vollzählige, verschwiegene Äquivalente des Lebens, zu denen die Sprache immer nur umschreibend gelangt, es sei denn, es gelänge ihr ab und zu, im magischen Anruf zu erreichen, daß irgendein geheimeres Gesicht des Daseins uns, im Raume eines Gedichts zugekehrt bleibt . . .[100]" Diese Verwandlungskraft des Wortes kann nur dann wirksam werden, wenn Malte bereit ist, „die Arbeit der Liebe zu lernen . . . Wie, wenn wir hingingen und Anfänger würden, nun, da sich vieles verändert". (834) Das Wesen der „Liebe" versagt sich aber des unmittelbaren Zugangs in der Sprache: „Es ist, als hätten sie [die Liebenden] im voraus die Worte vernichtet, mit denen man sie fassen könnte." (833)

Ebenso beruht das strukturelle Konzept der nachfolgenden Aufzeichnung, die den Besuch bei Schulins behandelt, auf dem Prinzip der suggestiven Wiedergabe. Hier haben wir es mit einer besonders überzeugenden Darstellung dessen zu tun, was Rilke als „la présence et l'absence" bezeichnet[101]. Obwohl das alte Schloß schon vor einigen Jahren abgebrannt ist, haben die Gäste das untrügliche Gefühl, daß das Gebäude tatsächlich noch vorhanden ist: „Georg hatte ganz vergessen, daß das Haus nicht da war, und für uns alle war es in diesem Augenblick da." (838) Mittels der Negierung versucht Malte, eine bestimmte Idee sichtbar zu machen. Dabei bedient er sich einer Terminologie, deren Ursprung auf Mallarmé zurückgeht. Unter anderem heißt es in dem betreffenden Abschnitt: „ . . . nun war's, als würde auch noch das Letzte ausradiert und als führe man in ein weißes Blatt." (837) Der Däne, der sich selbst zu Anfang als ein „Nichts" deutet, (726) steht zuerst dem ‚logischen‘ Bewußtsein einer ‚geordneten‘ Welt gegenüber, die sich als fragwürdig herausstellt. Nachdem er die „Leere" (712) erkannt hat, versucht er im Sinne Mallarmés – „après avoir trouvé le néant, j'ai trouvé le beau[102]" — durch die Absolutsetzung der Kunst eine neue Daseinsmöglichkeit zu begründen. Seine existentielle Verfassung angesichts der Nichtigkeit von innen und außen entspricht jenen zwei „néants", mit denen der Franzose zeit seines Lebens gerungen hat[103]. Das Nichts ist nach Hegel lediglich ein Ausdruck für das Versagen des Menschen, eine adäquate Idee von der Wirklichkeit zu gewinnen, da letztere seine begriffliche Vorstellungskraft übersteigt. Die Anstrengungen des Ichs, das Wesen der Realität konzeptual zu ergründen, die ideale ‚Konstellation‘, welche sich hinter dem Empirischen verbirgt, aufzudecken, bestätigt die schöpferische Funktion des Nichts als Quelle bisher ungenutzter kreativer Energien. Durch die Verabsolutierung des Schaffensvorganges wird die Leere zum Sinnbild des Absoluten selbst gesteigert. Insofern erinnert die Leere wie auch die Vorstellung des „weißen Blattes" in der Schulin-Episode an Mallarmés Konzeption der ‚weißen Seite‘. Sie ist einmal Sinnbild des „ennui", verkörpert aber ebenfalls das Wesenhafte selbst, „le blanc" als „Aussparung" dessen, was die „idée" in ihrer lautersten Reinheit darstellt. Auch in Maltes Jugenderlebnis fungiert die materielle Leere, in welche die Landschaft wegen des anhaltenden Schneefalls versunken ist, als Symbol des Bedeutungsgehaltes der Szene.

Diese Beobachtung wird schließlich durch das „Schmucketui" bestätigt, von dem im zweiten Teil des Buches die Rede ist. Die Wesenhaftigkeit des Gegenstandes ersteht als reine Suggestion, als etwas, was nur durch sein Nichtvorhandensein sichtbar gemacht werden kann: „Ich weiß noch genau, einmal, vorzeiten, zuhaus, fand ich ein Schmucketui; es war zwei Hände groß, fächerförmig mit einem eingepreßten Blumenrand im dunkelgrünen Saffian. Ich schlug es auf: es war leer. Das kann ich nun sagen nach so langer Zeit. Aber damals, da ich es geöffnet hatte, sah ich nur, woraus diese Leere bestand: aus Samt, aus einem kleinen Hügel lichten, nicht mehr frischen Samtes; aus der Schmuckrille, die, um eine Spur Wehmut heller, leer, darin verlief." (925) Auf die Weise erwächst in der „Leere" die Idee an sich, vollzieht der Beobachter den Akt ihrer Gestaltung mit Hilfe eines negativen Schöpfungsverfahrens. ‚Schaffen' ist jetzt gleichbedeutend mit ‚ab-schaffen'. Was die Sprache sachlich vernichtet, erhält durch eben dieselbe Sprache eine sinnbildliche Gegenwart: „A l'égal de créer", lautet Mallarmés entsprechender locus classicus symbolistischer Dichtungs-theorie, „la notion d'un objet échappant, qui fait défaut"[104].

Daß Maltes Aufzeichnen ein Ringen um die kreative Leistungsfähigkeit ist, demonstriert der Däne z. B. in der „Nonnen"-Szene in der „Zweiten Niederschrift" des „Nachlasses: Tolstoi 1909". Während der gesamte Komplex in seiner Stofflichkeit vor „dem inneren Gesicht"[105] des Protagonisten zurückweicht, wird dessen Aufmerksamkeit einzig und allein auf die Hände der Äbtissin gelenkt: „Alles in diesem Bildnis, das Gesicht nicht ausgenommen, war allgemein und gleichgültig; ... Aber plötzlich, bei den Händen, war ein Wunder geschehen: ... der schlichte, leibeigene Maler hatte es aufgegeben, seine sonstigen erlernten Hände zu malen; es war über ihn gekommen, die Hände nachzubilden, die er in Wirklichkeit vor sich sah, — und man mußte zugeben, daß es ihm wunderlich gelungen war, sie in ihrer Realität zu erreichen. Er hatte sie wichtig genommen, als gäbe es nichts als diese alternden gefalteten Hände, als hinge eine Menge davon ab, sie nicht zu vergessen ... Es ging mir durch den Kopf, daß mit diesen Händen wirklich etwas von dem Schicksal der dargestellten Frau überliefert war ..." (974) Der größte Teil des Bildes wird zur Immateriali-tät verurteilt — „Die Äbtissin war gleichgültig, und vielleicht war ihr Leben für andere ohne Bedeutung" (975) — das übrigbleibende Fragment der Hände übernimmt die Aufgabe, den künstlerischen Prozeß selbst sichtbar zu machen: „ ... daß in diesen grotesk großen Händen das entscheidende, das hinreißende Erlebnis des Malers war, der der Welt gewahr wurde, der sich zum ersten Mal mit allem Glück und aller Mühsal seines Wesens nachfühlend an ihr versuchte." (Ebd.) Eindeutig zielt Rilkes Darstellungs-form im Malte auf den Abbau der Impressionen als Inhaltsphänomen zugunsten ihrer ästhetischen Aussage — „daß es ihre Hände waren, das ging mir sicher nicht nahe..." (ebd.) — im Einklang mit Mallarmés Kardinalthese: „Je n'ai créé mon oeuvre que par élimination, et toute vérité acquise ne naissait que de la perte d'une impression qui, ayant étincelé, s'était consommée et me permettait, grâce à ses ténèbres dégagées, d'avancer profondément dans la sensation des Ténèbres absolues[106]."

„La chair est triste, hélas! et j'ai gardé tous les livres[107]." Unter den ästhetischen Konsequenzen dieses Mallarméschen Eingeständnisses leidet auch der Protagonist der *Aufzeichnungen*. Aus dem Grunde kreisen seine Bemühungen um die Widerlegung „des gefühls-stofflichen Vorurteils", wie Rilke sich in einem von symbolistischen Absichten gefärbten Kommentar zu Georg Trakl äußert[108]. Mit ähnlichen Worten charakterisiert R.-M. Albérès jene Prosawerke, die in der Nachfolge des französischen Symbolismus entstanden sind, u. a. Rilkes *Malte*[109]. Dem symbolistischen Erlebnis liegt eine emotionale Gestimmtheit zugrunde, welche nach der Kontaktaufnahme zwischen Ich und Außenwelt den Erkenntnisvorgang auslöst. Der Gefühlsaspekt bewirkt aus dem Grunde eine Erfahrung der innigsten Teilnahme am Schaffensprozeß. Im Gegensatz zu den Romantikern gehen ihre symbolistischen Nachfahren über die einfache Reproduktion des Emotionalen hinaus und bemühen sich um dessen ästhetische Verwertung. Das gleiche Prinzip macht sich Malte zueigen. Für ihn wie für den Symbolisten besteht der echte schöpferische Akt in einem Vorgang, der seine eigenen kreativen Voraussetzungen zu enträtseln trachtet.

Die Entstehung einer gefühlsmäßigen Analogie zwischen dem Sichtbaren und Unsichtbaren resultiert in den *Aufzeichnungen* letzten Endes in einem sprachlichen Niederschlag. Damit ist das Emotionale als solches überwunden und „Blut" geworden, es hat seine künstlerische Verklärung erlebt. Dergestalt postuliert Malte in seinem ästhetischen Grundbekenntnis die „Befreiung der dichterischen Figur"[110]: „Denn Verse sind nicht, wie die Leute meinen, Gefühle (die hat man früh genug), — es sind Erfahrungen ... Man muß Erinnerungen haben ... Und es genügt auch noch nicht, daß man Erinnerungen hat ... Denn die Erinnerungen selbst sind es noch nicht. Erst wenn sie Blut werden in uns, Blick und Gebärde, namenlos und nicht mehr zu unterscheiden von uns selbst, erst dann kann es geschehen, daß in einer sehr seltenen Stunde das erste Wort eines Verses aufsteht in ihrer Mitte und aus ihnen ausgeht." (724—25)

So steht z. B. in der Crémerie-Szene am Anfang als Energiequelle eine emotionale Gestimmtheit, die für den Vergegenwärtigungsablauf verantwortlich ist[111]. Dementsprechend bildet Maltes „Vorgefühl" (918) die

Grundvoraussetzung für das Zusammentreffen mit dem Sterbenden: „Aber da fühlte ich ihn, obwohl er sich nicht rührte." (754) Hiermit ist die Richtung angezeigt, in die der Däne seine Perzeptionsbemühungen lenkt: „Gerade seine Regungslosigkeit fühlte ich und begriff sie mit einem Schlage. Die Verbindung zwischen uns war hergestellt . . ." (*Ebd.*) In diesem Vorgang läßt sich ein wesentlicher Aspekt symbolistischer Ästhetik feststellen: Die Herstellung einer „correspondance" zwischen dem Bewußtseinszustand des Ichs und der geistig-seelischen Verfassung der anderen Person, so daß die echte Handlung in einen Bereich verlagert wird, der sich aus den empirischen Phänomen als Hieroglyphen des Wesentlichen konstituiert: „ . . . und ich wußte, daß er erstarrt war vor Entsetzen. Ich wußte, daß das Entsetzen ihn gelähmt hatte, Entsetzen über etwas, was in ihm geschah . . . Mit unbeschreiblicher Anstrengung zwang ich mich, nach ihm hinzusehen . . . es geschah, daß ich aufsprang und hinausstürzte; denn ich hatte mich nicht geirrt." (*Ebd.*) Obgleich Malte sich der aufdrängenden Wahrheit widersetzen möchte, vermag er sich ihr doch nicht zu entziehen: „Ja, ich wußte, daß er sich jetzt von allem entfernte: nicht nur von den Menschen . . . Und ich wehrte mich noch. Ich wehrte mich, obwohl ich weiß, daß mir das Herz schon heraushängt und daß ich doch nicht mehr leben kann, auch wenn meine Quäler jetzt von mir abließen. Ich sage mir: es ist nichts geschehen, und doch habe ich jenen Mann nur begreifen können, weil auch in mir etwas vor sich geht, das anfängt, mich von allem zu entfernen und abzutrennen." (755) In dieser Phase der Eindrucksaufnahme wird die Perzeption zur Apperzeption, d. h. die Gefühlssubstanz geht aus dem Stadium der emotionalen Suggestion in die Stufe der Aneignung durch Maltes Bewußtsein über.

Auch seine Begegnung mit der „anderen" Hand beruht auf einem Ereignis, dessen wahres Wesen nur in der Gefühlsreaktion des Protagonisten angedeutet werden kann: „ . . . es war nur Grauen da . . . die Zähne schlugen mir aufeinander . . ." (795) Der Wahrheitsgehalt der Szene widersteht jeder unzweideutigen Beschreibung: „Ich schluckte ein paarmal: denn nun wollte ich es erzählen. Aber wie? Ich nahm mich unbeschreiblich zusammen, aber es war nicht auszudrücken, so daß es einer begriff. Gab es Worte für dieses Ereignis, so war ich zu klein, welche zu finden." (796) Im gleichen Atemzug enthüllt sich Malte die Möglichkeit, das reine Gefühlserlebnis in „Blick und Gebärde" zu verwandeln: „Und plötzlich ergriff mich die Angst, sie [die Worte] könnten doch, über mein

Alter hinaus, auf einmal da sein, diese Worte, und es schien mir fürchterlicher als alles, sie dann sagen zu müssen. Das Wirkliche da unten noch einmal durchzumachen, dazu hatte ich keine Kraft mehr." (*Ebd.*) Bis sich der Protagonist zur Stufe absoluter dichterischer Veredelung der Materie durchgerungen hat, muß er ein Leben „voll lauter besonderer Dinge" führen, „die nur für Einen gemeint sind und die sich nicht sagen lassen." (*Ebd.*)

Die ästhetische Transposition der Gefühle besteht darin, daß das subjektive Empfinden und dessen objektives Korrelat im poetischen Bild zusammenfallen und im Wort als Ausdrucksmedium ihre Läuterung erfahren. In gemäßer Weise führt Maltes Begegnung mit dem Epileptiker zu einer totalen Integration der beiden als identische Empfindungswesen. Die emotionale Verfassung des Kranken wird vom Protagonisten in ihrer letzten Konsequenz intuitiv ergriffen und einen Augenblick lang in sein eigenes Dasein übernommen: „Ich fühlte, daß ein wenig Angst in mir anfing. Etwas drängte mich auf die andere Seite herüber; ... Noch einmal rief mich etwas Warnendes auf die andere Seite der Straße, aber ich folgte nicht und blieb immerfort hinter diesem Manne, indem ich meine ganze Aufmerksamkeit auf seine Beine richtete. Ich muß gestehen, daß ich mich merkwürdig erleichtert fühlte ... Es beunruhigte mich nicht ... Diese Beobachtung verwirrte mich so sehr ... Von diesem Augenblick an war ich an ihn gebunden ... Ich verstand seine Angst vor den Leuten ... Ein kalter Stich fuhr mir durch den Rücken ... da auch ich ein wenig stolpern wollte ... Aber während ich so auf Hülfe sann ... Ich konnte nichts dagegen tun, daß meine Angst dennoch wuchs. Ich wußte, daß ... das furchtbare Zucken in seinem Körper sich anhäufte; auch in mir war die Angst, mit der er es wachsen und wachsen fühlte, ... daß ich alle Hoffnung in seinen Willen setzte, der groß sein mußte ... Und ich, der ich hinter ihm herging mit stark schlagendem Herzen, ich legte mein bißchen Kraft zusammen wie Geld, und indem ich auf seine Hände sah, bat ich ihn, er möchte nehmen, wenn er es brauchte. Ich glaube, daß er es genommen hat; was konnte ich dafür, daß es nicht mehr war ... Der Wille war an zwei Stellen durchbrochen ... ich war leer. Wie ein leeres Papier trieb ich an den Häusern entlang, den Boulevard wieder hinauf." (769—74) Die „Schwingungszahl der Lebensintensität", von der Rilke in seiner Selbstanalyse des *Malte* spricht[112], hat in der vorliegenden Aufzeichnung ihre vollkommene Ausprägung gefunden. Sie überwindet die vordergründige

Wirkung der Sprache als bloßes Wiedergabemittel des stofflichen Vorfalls: „Und nun sollte ich erzählen, wie das eigentlich mit mir wäre . . . während es mir sehr schwer fällt." (760–61) Demgegenüber läßt der Protagonist die reinen Schwingungswerte der Worte erklingen, um welche die Anstrengungen Mallarmés kreisen. Indem die „Schwingungen" von Subjekt und Objekt dank des Bezugsverhältnisses von innen und außen identisch werden, wagt das Ich mit jedem Gedanken den existentiellen ‚Würfelwurf'. So spielt Malte in dieser Eintragung mit seinem eigenen Wert, setzt er mit der Eschatologie des Dinglichen seine Existenz aufs Spiel, um dem substantiellen Geist des Erfaßten, „einer vollkommen anderen Auffassung aller Dinge" (775) auf die Spur zu kommen. Das Prosabuch ist — Rilke sagt es selbst — „ein Daseinsentwurf", ein Wurf nach dem zufallsfreien Zustand, „und ein Schattenzusammenhang sich rührender Kräfte"[113].

Den entscheidenden Nutzen zieht der Däne aus der Transposition seiner Gefühle in Form einer „Kraft", die aus der Verneinung des Faktischen erwächst: ‚Aber seitdem [seit der Kindheit] habe ich mich fürchten gelernt mit der wirklichen Furcht, die nur zunimmt, wenn die Kraft zunimmt, die sie erzeugt." (861–62) Darstellen läßt sich eine solche „Kraft" nur mit Hilfe der Mallarméschen positiven Konzeption des Negativen: „Denn so ganz unbegreiflich ist sie, so völlig gegen uns, daß unser Gehirn sich zersetzt an der Stelle, wo wir uns anstrengen, sie zu denken. Und dennoch, seit einer Weile glaube ich, daß es unsere Kraft ist, alle unsere Kraft, die noch zu stark ist für uns. Es ist wahr, wir kennen sie nicht, aber ist es nicht gerade unser Eigenstes, wovon wir am wenigsten wissen? " (862) Dadurch, daß Malte seine Emotionen einem Verwandlungsprozeß unterwirft, gelingt es ihm, seinem wesentlichen erzählerischen Dilemma aus dem Wege zu gehen, nämlich „der Angst, daß ich mich verraten könnte und alles das sagen, wovor ich mich fürchte, und der Angst, daß ich nichts sagen könnte, weil alles so unsagbar ist, – . . ." (767) Beide Aspekte werden im symbolistischen Verfahren aufgehoben, welches sowohl dem Trügerischen einer direkten Formulierung als auch der absoluten Unsagbarkeit des Wesentlichen dank sinnbildlicher Aussage den jeweiligen Exklusivcharakter entzieht.

In Venedig schließlich erreicht die Transposition der Gefühle ihren Höhepunkt. Dort trifft der Däne inmitten der oberflächlichen Fremden, denen die wahre Bedeutung der Stadt angesichts des äußeren Scheins entgeht, ein junges Mädchen, das ihn an Abelone gemahnt: „Einmal noch,

Abelone, in den letzten Jahren fühlte ich dich und sah dich ein . . ." (931) Der Blick des symbolistischen Sehers vermag ‚Abelone' ihrer äußeren Erscheinung zu entkleiden und ihr wahres Wesen zu begreifen und dadurch die vorherige gefühlsmäßige Bindung zwischen Malte und dem Mädchen in ein Verhältnis umzugestalten, in dem dank der Neutralisierung des Emotionalen das Fundament für eine echte und dauerhafte reine Beziehung gelegt wird. Bezeichnenderweise ist der Protagonist nicht in der Lage, dies in der unmittelbaren Begegnung mit der wirklichen Abelone zu verwirklichen. Nur auf indirektem Wege über ein sinnbildliches Zusammentreffen mit einem jungen Mädchen, das hier lediglich die Funktion eines materiellen Vorwandes erfüllt, kann er die dichterische Metamorphose seiner Gefühle Tatsache werden lassen. So nimmt er noch einmal emotionalen Kontakt mit der Umwelt auf: „In dieser lächerlichen Stimmung bemerkte ich sie . . . ich fühlte sofort die ungeduldige Spannung in meinen Zügen und nahm ein gelassenes Gesicht an, worauf ihr Mund natürlich wurde und hochmütig. Dann, nach kurzem Bedenken, lächelten wir einander gleichzeitig zu." (933) Schon glaubt er instinktiv zu fühlen, daß ‚Abelone' das Angebot zu singen ablehnen wird: „Ich wußte keine Ausrede, die ich ihr hätte wünschen können, aber ich zweifelte nicht, daß sie widerstehen würde." (934) Doch dann tritt die unerwartete Wendung ein. „ . . . da, als es durchaus nicht mehr nötig war, gab sie nach. Ich fühlte, wie ich blaß wurde vor Enttäuschung; mein Blick füllte sich mit Vorwurf, aber ich wandte mich weg, es lohnte nicht, sie das sehen zu lassen." (934—35) Das Mädchen hat jedoch den Funken gemeinsamen Verstehens, der zwischen ihnen übergesprungen ist, wahrgenommen und gesteht Malte, daß ein innerer Drang sie zum Singen zwingt: „Sie aber machte sich von den andern los und war auf einmal neben mir. Ihr Kleid schien mich an, der blumige Geruch ihrer Wärme stand um mich. ‚Ich will wirklich singen', sagte sie auf dänisch meine Wange entlang, ‚nicht weil sie's verlangen, nicht zum Schein: weil ich jetzt singen muß'. Aus ihren Worten brach dieselbe böse Ungeduld, von welcher sie mich eben befreit hatte." (935)

Auf einzigartige Weise hat ein Gefühlsaustausch zwischen beiden stattgefunden. Vermöge subtiler Empfindungs- und Reaktionsfähigkeit ruft die Stimmung des einen eine entsprechende Rückwirkung beim anderen hervor, fallen die Schranken zwischen den Erfahrungshälften des Daseins, bilden Ich und Analogiepunkt einen sinnbildlichen Raum gemeinsamen Verstehens. Darüber hinaus folgt auf die Phase des sehenden Begreifens die dichterische Steigerung im Lied, so daß die Quintessenz der Episode, die „Sicherheit" wenigstens vorübergehend dem Zufall entrissen ist. So versucht Malte, feinste innerliche Regungen aufzuspüren und im Wort, genauer gesagt, in der Sprachbewegung festzuhalten. Dadurch werden die Worte zu Tonträgern zwischenmenschlicher Beziehungen, deren wahre Natur im Wort aufklingt. Die Enthüllung der geistig-seelischen Verfassung durch die Sprache nimmt musikalischen Charakter an, entsprechend dem Hauptanliegen des Symbolisten, das ureigenste Wesen der Musik dem Wort zu erschließen. Dessen klanglicher Aspekt erhält im Lied des Mädchens seine vollste Ausdrucksform. Und in diesem emotionalen Sichhineinleben in ein wesensverwandtes Geschöpf verfolgt Malte unter innigster Anteilnahme, wie ,Abelone' sich von der Oberflächlichkeit des falsche Gefühlstiefe vortäuschenden italienischen Liedes, das von allzu „deutlicher Übereinkunft" ist, befreit: „Sie, die es sang, glaubte nicht daran." (*Ebd.*) In der schweigenden Sphäre „eines unbekannten deutschen Liedes" ringt sich die Sängerin zur echten zwischenmenschlichen Beziehung und damit zur Verwirklichung der wahren Handlung durch: „Aus einem Stück, ohne Bruch, ohne Nabel... wie ein Notwendiges" (*Ebd.*) Ihre Leistung steht stellvertretend für jenes Ideal der „Sicherheit" – „... und zum Schluß war eine solche Sicherheit in ihr, als ob sie seit Jahren gewußt hätte, daß sie in diesem Augenblick würde einzusetzen haben" (936) – von der Malte jetzt selbst durchdrungen ist, „sein ganzes, im langen Alleinsein ahnend und unbeirrbar gewordenes Wesen..." (943) In der reinen Sympathie mit sich selbst hat sich für den Protagonisten wenigstens für die Dauer eines Augenblicks alles Zufällige des Gefühls verflüchtigt, ist an die Stelle des „hasard" die reine Bedeutsamkeit getreten.

Zusammenfassend dürfen wir hinsichtlich der Funktion des Emotionalen folgendes feststellen: Das sinnbildliche Gefüge der *Aufzeichnungen* baut sich auf Elementen eines „menschlichen" und eines „transzendentalen" Symbolismus auf[114]. Dabei ermöglicht der reine Bezug die Koordinierung der beiden Aspekte. Er gestattet es dem Ich, durch die ästhetische Eingestaltung seiner Gefühle – „menschlicher" Symbolismus – das Streben nach der ,idée' – „transzendentaler" Symbolismus – zu verwirklichen.

III

DIE AUSEINANDERSETZUNG MIT DEM
MATERIELLEN ALS SINNBILD
DER SYMBOLISTISCHEN ÜBERWINDUNG DES ‚ZUFALLS'

Die sprachliche Eingestaltung der Emotionen, also die Realisierung dessen, was die Wesenheit einer jeweiligen Aufzeichnung konstituiert, geschieht mit Hilfe der Einbildungskraft[115]. Das Erlebnis des blinden Zeitungsverkäufers erhellt ihre spezifische Eigenart: „Ich war beschäftigt, ihn mir vorzustellen, ich unternahm die Arbeit, ihn einzubilden, und der Schweiß trat mir aus vor Anstrengung." (900) Die Fähigkeit der Einbildung repräsentiert für Baudelaire und den Symbolisten „die Königin der Fakultäten"[116]. Sie gestattet es, geheimnisvolle Analogien zwischen innen und außen herzustellen und ihre Bedeutung aufzudecken. Daß Einbilden und Bezug sich in den *Aufzeichnungen* ergänzen, wird uns von Malte selbst bestätigt, der z. B. mit seinem Onkel, dem Grafen Christian Brahe, in absentia Verbindung aufnimmt: „Er kam nie, aber meine Einbildungskraft beschäftigte sich wochenlang mit ihm, ich hatte das Gefühl, als wären wir einander eine Beziehung schuldig, und ich hätte gern etwas Wirkliches von ihm gewußt." (813)

Die Kraft der Einbildung versetzt den Dichter in die Lage, seinen Erfahrungen künstlerisches Gepräge zu geben und sich zu diesem Zweck aller sinnlichen Perzeptionsorgane zu bedienen, um die Empirie ihres Scheins zu entkleiden: „Denn ich mußte ihn [den blinden Zeitungsverkäufer] machen, wie man einen Toten macht, für den keine Beweise mehr da sind, keine Bestandteile; der ganz und gar innen zu leisten ist." (900) Neben dieser zerlegenden Funktion, d. h. der Aufnahme bestimmter Impressionen der Objektwelt ohne Rücksicht auf deren trügerischen äußerlichen Zusammenhang, übernimmt die Einbildung gemäß Baudelaire vor allem eine formende Rolle: „Elle [l'imagination] décompose toute la création, et, avec les matériaux amassés et disposés suivant les règles dont on ne peut trouver l'origine que dans le plus profond de l'âme, elle crée un monde nouveau, elle produit la sensation du neuf"[117]. Die Affinität dieses Einbildungsprinzips mit demjenigen, was wir als fundamentale Konzeption einer symbolistischen Weltschau postuliert haben, nämlich mit der

Vorstellung einer Deformation und nachfolgenden Neukonstituierung im Rahmen des sprachlichen Universums liegt auf der Hand. Und in dem Sinne benutzt auch Malte Laurids Brigge das Wörterbuch der Natur, um eine bestimmte Idee schöpferisch zu formen, die Empfindung des „Neuen", die ihm in den Aufzeichnungen entgegentritt: „Ich habe es augenblicklich etwas schwer, weil alles zu neu ist. Ich bin ein Anfänger in meinen eigenen Verhältnissen." (755) Insofern ist das Prosabuch selbst ein „dictionnaire", in dem der Däne die „Vokabeln seiner Not" als „Früchte der Tröstung" liest[118].

Die Absolutheit symbolistischen Einbildungsvermögens — „Hat man noch mehr Einbildungskraft und schlägt sie nach anderen Richtungen hin, so sind die Vermutungen geradezu unbegrenzt" (713) — erlaubt es ihm, die Zufälle des Daseins an ihrer Wurzel zu erfassen und seine bisherige dichterische Produktion, die lediglich eine Poesie des Gefühls geblieben ist, durch die Hinwendung zum Wahrheitsgehalt jenseits des Sentimentalen zu regenerieren. Als Vorbild dient ihm jener „wirkliche" Künstler, der den Knaben Erik im Bildnis verewigt hat, indem „er die Sache gar nicht sentimental ansah". (818) Folglich kreisen Maltes Einbildungsversuche um den „Kern von Köstlichkeit", den die „gewaltigen Liebenden" in sich bergen. (833) An ihnen verbildlicht er sich den Gedanken kreativer Tätigkeit, da sie zwei Früchte in sich tragen, ein Kind und einen Tod. Mit ihrem „nahrhaften" Lächeln sind sie ein Symbol für die künstlerische Fruchtbarkeit, welche aus der Annahme von Leben und Tod als gleichberechtigten Aspekten des Daseins ersteht. ‚Tod' ist hier im Sinne symbolistischer Ästhetik als Eliminierung von Materie und unreinem Bewußtseinsinhalt zu verstehen. In ihrer Vernichtung keimt die Frucht des Wesenhaften inmitten des „Ungetanen": „Wie steht mein Leben herum um diese Frucht, denkt er." (929) Auf die dichtungstheoretischen Verhältnisse des Prosabuches bezogen entsteht die individuelle Aufzeichnung in ihrer Quintessenz als Frucht. Deren ideelle Fertigkeit stellt aber nur eine begrenzte Vollendung dar, ein bewältigtes Teilelement, um das sich die Menge des noch „Ungetanen" häuft. Denn unter dem Gesichtspunkt des symbolistischen Imperativs muß das Eigentliche in seinem vollen Ausmaß von der Aura des Geheimnisvollen umgeben bleiben. Es kann deshalb nur bis zu einem gewissen Grade seinen Schleier lüften.

So vermag Malte weder die besondere Eigenart Abelonens noch die Eigentümlichkeit Bettinens unmittelbar zu verstehen. Erst die erfolgreiche

„Einbildung" der beiden Gestalten, genauer gesagt, eine doppelte „Einbildung" macht ihm die wahre Natur dieser Frauen zugänglich. Am Anfang steht das „Aufgehen" der Bettine im Ich des Protagonisten: „ . . . Bettine ist wirklich in mir geworden . . .", dazu kommt die „Einbildung" Abelonens in der Erscheinung Bettinens: „ . . . und nun ist sie mir in Bettine aufgegangen wie in ihrem eigenen unwillkürlichen Wesen." (897) Die sinnbildliche Vergegenwärtigung von Abelonens wahrem Wesen geschieht also am stofflichen Vorwand der Bettine. Beide Einbildungsvorgänge bilden eine zweifache symbolistische Apperzeption, weil Abelone und Bettine in ihrem ureigentlichen Charakter identisch sind: „ . . . wenn ich sie [die Stellen in den Büchern] lese, so bleibt es unentschieden, ob ich an Bettine denke oder an Abelone." (897) Die echte Handlung hat folglich in einem Raum stattgefunden, der dem Protagonisten auf direktem Wege verschlossen ist: „Aber nun geschah sie [Abelone] irgendwo ganz im Großen, weit über mir, wo ich nicht hinreichte." (896) Einzig Abelonens andeutende Funktion — „Abelone . . . war wie eine Vorbereitung auf sie [Bettine] . . ." — hat den Bereich authentischer Handlung geschaffen, von dem Malte spricht: „Denn diese wunderliche Bettine hat mit allen ihren Briefen Raum gegeben, geräumigste Gestalt." (897) Da besagte Sphäre auch die Erfahrung des Todes einschließt, erhält sie einen allumfassenden Charakter: „Sie [Bettine] hat von Anfang an sich im Ganzen so ausgebreitet, als wäre sie nach ihrem Tod." (*Ebd.*) Mit dem „In-ihm-Werden" Bettinens und Abelonens endet das „Einbilden" in der Schlußphase des „Blutwerdens" und des „Lesens", worauf sich Maltes ästhetische Theorie konzentriert: „ . . .das Blut, darauf kommt es an, da muß man drin lesen können." (848)

Das „Einbilden" steht in unmittelbarer Verbindung mit dem Konzept der „Steigerung", d.h. der Verwandlung der objektiven Formen zu dem, was sich hinter ihrer materiellen Form verbirgt. Diesbezüglich erfahren wir in den *Aufzeichnungen*, daß Maltes „Herz sich unaufhaltsam steigerte zu einer immensen Wirklichkeit . . . zu der Zeit, . . . da man die Dinge . . . mit unbeirrbarer Einbildungskraft zu der grundfarbigen Intensität des gerade herrschenden Verlangens steigerte." (924/842) „Einbilden" und „Steigerung" repräsentieren verschiedene Phasen, welche die Veredelung des Stoffes durchlaufen muß, um das Empirische im Namen einer reinen Wirklichkeit zu entdinglichen.

Die Verwandtschaft dieses Steigerungsprozesses mit alchimistischen Vorstellungen liegt auf der Hand. Daß solche Neigungen in Malte verwurzelt sind, beweist der familiäre Ursprung solcher Experimente: „Der Oheim, ... dessen hartes und verbranntes Gesicht einige schwarze Flecke zeigte, ... die Folgen einer explodierten Pulverladung; ... und nun machte er in einem mir unbekannten Raum des Schlosses alchymistische Versuche ..." (731) Hierzu gehören auch „die Stellen über das Goldmachen und über die Steine und über die Farben", von denen Graf Brahe beim „Lesen" im „Blut" des Marquis von Belmare spricht. (848) Ihre letztliche Bestätigung findet unsere These in der Parabel vom Verlorenen Sohn: „Er hatte den Stein der Weisen gefunden, und nun zwang man ihn, das rasch gemachte Gold seines Glücks unaufhörlich zu verwandeln in das klumpige Blei der Geduld." (944)

Alchimistischen Auffassungen entsprechend handelt das Prosabuch von der Verwerfung der Materie als solcher. Denn die Stoffwelt setzt sich aus geheimnisvollen Zeichen zusammen, die der forschende Geist zu entziffern hofft, um der Idee der Schöpfung an sich auf die Spur zu kommen. Sinnbild des Zeichenhaften ist der „Bleistift", dessen symbolischer Charakter Malte in der Begegnung mit der alten Frau aufgeht: „Denn daß es sich nicht um den Bleistift handeln konnte, begriff ich wohl: ich fühlte, daß das ein Zeichen war, ein Zeichen für Eingeweihte ...; ich ahnte, sie bedeutete mir, ich müßte irgendwohin kommen oder etwas tun." (744) Tatsächlich ist das „Zeichen" eine Aufforderung zur künstlerischen Tätigkeit, zur „gewissen Verabredung, zu der dieses Zeichen gehörte ..." (*Ebd.*) Wie der Alchimist verschreibt sich Rilkes Protagonist dem Ideal der Vollkommenheit, der bedingungslosen Selbstaufopferung zugunsten des reinen Wortes, das mit dem „Einen", dem Absoluten koinzidiert.

Auch in dieser Hinsicht stellen die *Aufzeichnungen* ihre Gemeinsamkeit mit dem ‚symbolisme‘ heraus, für den das dichterische Verfahren ein ebensolcher Vorgang ist, aus dem Rohmaterial der Empirie den edlen Kern der Wesenheit herauszudestillieren. Daher wird das einzelne Fragment des Prosabuches in einen Raum umgestaltet, in dem sich besagter Reinigungsprozeß abspielt. U. a. findet sich in dem Abschnitt über Ibsen folgender Ausspruch, der das soeben Behauptete erhärten soll: „Aber dort weiltest du und warst gebückt, wo unser Geschehen kocht und sich niederschlägt und die Farbe verändert, innen ... und nun warst du bei den Kolben im Feuerschein." (784) Desgleichen an späterer Stelle: „Diese Kessel, die kochend herumgehen, diese Kolben, die auf Gedanken kommen, und die müßigen Trichter, die sich in ein Loch drängen zu ihrem Vergnügen ... Und schon schlagen sich seine [des Heiligen] Sinne nieder aus der hellen Lösung seiner Seele." (878—79) Und im Zusammenhang mit Karl V. : „Das Buch schlug sich ihm immer an den einfachsten Stellen auf: wo von dem Herzen die Rede war, das dreizehn Jahre lang wie ein Kolben über dem Schmerzfeuer nur dazu gedient hatte, das Wasser der Bitternis für die Augen zu destillieren." (910)

In obigen Situationen erfährt Malte den Prozeß der Stoffumwandlung: „Wie begreife ich jetzt die wunderlichen Bilder, darinnen Dinge von beschränkten und regelmäßigen Gebrauchen sich aussparen und sich lüstern und neugierig aneinander versuchen, zuckend in der ungefähren Unzucht der Zerstreuung." (878) In ihnen wird er Zeuge eines geistigen Steigerungs- und Erkenntnisvorganges, dessen Wesen er „abliest", „ . . . das kaum Meßbare: . . . den Ausschlagwinkel eines von fast nichts beschwerten Willens . . ." (784) Die zersetzende Wirkung seines Einbildungsvermögens endet mit einem Niederschlag, jener „quidditas" oder Wesentlichkeit, die das Fazit der Joyceschen Epiphanie bildet[119]. Im Verlauf einer solchen Läuterung ergibt sich zum Beispiel in der ersten Aufzeichnung als „Washeit": „Die Hauptsache war, daß man lebte", (709) Resultat dessen, was Irene Hendry im Hinblick auf besagte Joycesche „epiphanies" als „revelation through distillation of the pure generalized ‚quidditas' from an impure whole" beschreibt[120]. Wenn ein Kritiker die Absätze des Prosabuches als „sich zusammenballende und wieder zerplatzende Vorstellungsgebilde" charakterisiert, dann deutet er diese „Gedankenwolken" in dem soeben diskutierten Sinne, als Prosaformen, „die durch Verschiebung der Moleküle, d. h. ihrer Einzelvorstellungen, unaufhörlich in neue Formen übergehen, sich zu neuen Gebilden kristallisieren[121]."

Um einen tieferen Einblick in diesen Umwandlungsprozeß zu gewinnen, wenden wir uns der erwähnten Krankenhausepisode zu. Ein sorgfältiges Lesen der Szene führt zu der Erkenntnis, daß sie sich aus zwei Aussageweisen konstituiert, nämlich aus direkten Beobachtungen Maltes und seinen gedanklichen Feststellungen. Gruppieren wir die Bestandteile gemäß dieser Unterscheidung, dann ergibt sich folgendes Schema. Einerseits finden wir „erlebte Eindrücke"[122]: „Ich habe gesehen: Hospitäler. Ich habe einen Menschen gesehen, welcher schwankte und umsank. Die Leute versammelten sich um ihn ... Ich habe eine schwangere Frau gesehen. Sie schob sich schwer an einer hohen, warmen Mauer entlang, nach der sie manchmal tastete ... Weiter, rue Saint-Jacques, ein großes Gebäude mit einer Kuppel. Der Plan gab an Val-de-grâce, Hôpital militaire ... Die Gasse begann von allen Seiten zu riechen. Es roch, soviel sich unterscheiden ließ, nach Jodoform, nach dem Fett von pommes frites, nach Angst ... Dann habe ich ein eigentümlich starblindes Haus gesehen ... über der Tür stand noch ziemlich leserlich: Asyle de nuit. Neben dem Eingang waren die Preise. Ich habe sie gelesen ...ein Kind in einem stehenden Kinderwagen: es war dick, grünlich und hatte einen deutlichen Ausschlag auf der Stirn. Er heilte offenbar ab ... Das Kind schlief, der Mund war offen, atmete Jodoform, pommes frites, Angst." (709) Die „erlebten Eindrücke" zeigen den Wahrnehmungsvorgang unmittelbar auf, sie liefern die materielle Basis für das, was sich an die visuelle Perzeption anschließt, die „erlebte Reflexion", Maltes geistige Verarbeitung der Impressionen: „ ... das ersparte mir den Rest ... wie um sich zu überzeugen, ob sie [die schwangere Frau] noch da sei. Ja, sie war noch da ... Gut. Man wird sie entbinden — man kann das ... Das brauchte ich eigentlich nicht zu wissen, aber es schadet nicht ... Es war nicht teuer. Und sonst? ... Er [der Ausschlag] ... tat nicht weh ... Das war nun mal so." (*Ebd.*) Das strukturelle Gefüge der Aufzeichnung bietet ein Bewegungsbild, in dem die Perzeption, die Aufnahme der Eindrücke in die Apperzeption oder bewußtseinsmäßige Aneignung durch das Ich übergeht. „Erlebte Eindrücke" oder Perzeption und „erlebte Reflexion" oder Apperzeption lassen sich unter der übergreifenden Idee der „erlebten Darstellung" auf einen Nenner bringen. Als kompositionelles Merkmal der Eintragung erkennen wir einen dreischichtigen Aufbau. Einmal die anfängliche Selbständigkeit der Komponenten in der Form „erlebter Eindrücke" und „erlebter Reflexionen", welche der „integritas"-Phase der Joyceschen Epiphanie entsprechen. Andererseits bilden „erlebte Eindrücke" und „erlebte Reflexionen" zusammen als „erlebte Darstellung" die Stufe der epiphanischen „consonantia". Daraus geht der zentrale Gedanke, die „quidditas" als Resultat der Vertilgung des Empirischen hervor: „ ... und es wird kein Wort auf dem anderen bleiben, und jeder Sinn wird wie Wolken sich auflösen und wie Wasser niedergehen." (756)

Wenn Joyce die Wirkung seiner Epiphanie wie folgt schildert: „The soul of the commonest object seems to us radiant. The object achieves its epiphany"[123], so bedient sich Rilke in einer zweiten Fassung des Eingangs zum *Malte* einer Terminologie, die den von Augustinus geborgten Joyceschen Begriffen nahe kommt. Dort ergeht sich der Däne über ein Erlebnis geheimnisvoller Erleuchtung in Paris: „Klarheiten", heißt es, „kommen so sonderbar; man ist nie vorbereitet auf sie." (951) Urplötzlich überfallen sie ihn, die Dinge und Personen ringsum verlieren ihre oberflächliche Bedeutung, überstrahlt vom Schein der momentanen geistigen Illumination des Beobachters: „ . . . da . . . leuchtete es in mir auf und war eine Sekunde so hell, daß ich nicht allein eine sehr entfernte Erinnerung, sondern auch gewisse seltsame Zusammenhänge sah, durch welche eine frühere und scheinbar unwichtige Begebenheit meiner Kindheit mit meinem Leben verbunden ist." (*Ebd.*) Solch ein Erlebnis hebt sich aus der Masse der Reminiszenzen plastisch hervor: „Es war, als wäre in ihr der Schlüssel gewesen für alle ferneren Türen meines Lebens, das Zauberwort für meine verschlossenen Berge, das goldene Horn, auf dessen Ruf hin immer Hilfe kommt. Als wäre mir damals der wichtigste Wink meines Lebens gegeben worden, ein Rat, eine Lehre . . ." (*Ebd.*) Dergestalt erreicht Malte die Stufe erkenntnisträchtiger Deutlichkeit z. B. beim Zusammentreffen mit dem blinden Zeitungsverkäufer: „Mein Gott, fiel es mir mit Ungestüm ein, so bist du also. Es gibt Beweise deiner Existenz." (903) Dieses Phänomen korrespondiert mit der Joyceschen Epiphanisierung der Objektwelt: „Its soul, its whatness leaps to us from the vestment of its appearance[124]."

Die Art und Weise, wie der irdische Grundstoff einem geistigen Erneuerungsverfahren unterworfen wird, gewinnt an einer gleichnishaften Darstellung von Beethovens musikalischem Schaffen am Beispiel des Wasserkreislaufs der Erde gebührenden Ausdruck. Die „Maske" des Komponisten, sein „wissendes Gesicht", spiegelt die „Klarheit" des Wesenhaften: „Weltvollender: wie, was als Regen fällt über die Erde und an die Gewässer, nachlässig fallend, – unsichtbar und froh von Gesetz wieder aufsteht aus allem und steigt und schwebt und die Himmel bildet: so erhob sich aus dir der Aufstieg unserer Niederschläge und umwölbte die Welt mit Musik." (779) „Weltvollender" – das besagt die Ausschaltung des Materiellen durch dessen Reinigung zur Idee-an-sich, die „unsichtbar" als Mallarmésche ,Blüte, welche allen Sträußen fehlt', aus dem „geheim Gegenständlichen", wie Rilke es nennt, aus der Steigerung des „Regens" zum „Himmel", also zur Quintessenz, als „Aufstieg" aus dem „Niederschlag" ersteht.

Die Ablehnung „des Trüben und Hinfälligen der Geräusche" läßt Malte in eine Phase der „Übergänge" eintreten, (784) er steht auf der Schwelle zum Bereich des Schweigens. „Aber bei Mallarmé einsetzen", erklärt Rilke in dem Zusammenhang, „das hieß mit dem nächsten Schritt im Schweigen stehn, ‚dans un silence d'art très-pur' . . .[125]" Darin vollzieht sich für den Symbolisten das Ereignis-an-sich: „Damit nur die tonlosen Sinne ihm Welt eintrügen, lautlos, eine gespannte, wartende Welt, unfertig, vor der Erschaffung des Klanges." (799) In diesem „schweigenden Konzert", wie der Franzose es formuliert[126], verläuft auch für den Protagonisten der *Aufzeichnungen* das wahre Geschehen, in „einzelnen Stücken der Stille . . . lautloser als alles, was sich bewegt." (900) Besonders deutlich demonstriert Malte den ‚schweigenden Gesang' in der dritten Eintragung des ersten Teils, in welcher die Stille sichtbare Gestalt annimmt. Im Einklang sinnlicher Impressionen — „lautlos schiebt sich ein schwarzes Gesims vor oben, und eine hohe Mauer, hinter welcher das Feuer auffährt, neigt sich, lautlos. Alles steht und wartet mit hochgeschobenen Schultern, die Gesichter über den Augen zusammengezogen, auf den schrecklichen Schlag" (710) — offenbart sich ihm diese „Vokabel seiner Not" in ihrem ureigentlichen Charakter als schweigende Wesensaussage.

Daß die *Aufzeichnungen* zutiefst vom Geist der lautlosen Sprache geprägt sind, wie sie Worte um ihrer selbst aussprechen, „in der die inneren Windstillen gefährlicher sind als die Stürme"[127], davon legt der nachstehende Abschnitt eindrucksvolles Zeugnis ab. Vermittels des Initiativvermögens der Sprache wird hier die Objektwelt zum Sprachrohr innerster Regungen: „‚Die Kinder loser und verachteter Leute, die die Geringsten im Lande waren. Nun bin ich ihr Saitenspiel worden und muß ihr Märlein sein . . . sie haben über mich einen Weg gemacht . . . es war ihnen so leicht, mich zu beschäftigen, daß sie keiner Hülfe dazu durften . . . nun aber geußet sich aus meine Seele über mich, und mich hat ergriffen die elende Zeit. Des Nachts wird mein Gebein durchbohret allethalben; und die mich jagen, legen sich nicht schlafen. Durch die Menge der Kraft werde ich anders und anders gekleidet; und man gürtet mich damit wie mit dem Loch meines Rocks . . . Meine Eingeweide sieden und hören nicht auf; mich hat überfallen die elende Zeit . . . Meine Harfe ist eine Klage geworden, und meine Pfeife ein Weinen.' " (757) So wird das Wort auf seinen ursprünglichen Zustand, auf den Nullpunkt absoluten Schweigens als rein poetisches Medium, als „Metasprache" zurückgeführt[128]. Auf diese Weise transzendieren die Wesenskräfte der Sprache das Inhaltliche. Mallarmés Auseinandersetzung mit den zwei Sprachzuständen — „le double état de la parole, brut ou immédiat ici, là essentiel"[129] — ist in dieser Episode zugunsten des letzteren entschieden. Maltes „erstes Wort eines Verses" hat damit die Sprache des „Stammes" vernichtet.

Die Stille ist seine Antwort auf den Zweifel des Symbolisten an einer direkten Wiedergabe intimster Erfahrungen: „ . . . als müßte er eine Frage beantworten, die in der Stille unseres entlegenen Hauses aufgestanden war." (949) Gerade deswegen vermag der Däne das an sich Unsichtbar-Unsagbare, die „unbeschreibliche Stille" (737) auszusprechen. Letztere bildet einen hermetischen Raum absoluten Schweigens, so wie „die Stille um sie [die Stimme des Grafen] . . . eine eigene leere Resonanz zu haben [schien], für jede Silbe die gleiche." (734) Handlung wird hier zu einer „stimmlosen Stille eines wirklichen Konfliktes", (725) wie z. B. in der Erfahrung des Schweigens nach dem Lärmerlebnis mit dem Nachbarn: „Und nun (. . .) nun wurde es still. Still, wie wenn ein Schmerz aufhört. Eine eigentümlich fühlbare, prickelnde Stille, als ob eine Wunde heilte . . . Jemand sprach nebenan, aber auch das gehörte mit in die Stille. Das muß man erlebt haben, wie diese Stille war, wiedergeben [d. h. unmittelbar aussagen, A. d. V.] läßt es sich nicht." (875) In dem Sinne durchschaut der Protagonist in der dichterischen Transparenz die wahre Natur der „großen Liebenden": „An ihnen ist das Geheimnis heil geworden, sie schreien es im Ganzen aus wie Nachtigallen, es hat keine Teile." (924) Ihr Ideal wird „ausgeschrien", wohlverstanden in der Sphäre des redenden Schweigens. Die Stille enthüllt sich letzten Endes als Ursprung des Schöpferischen selbst, wenn „sie [die Byblis] hinsinkend, jenseits vom Tod als Quelle wiedererschien, eilend, als eilende Quelle. Was ist anderes der Portugiesin geschehen: als daß sie innen zur Quelle ward? " (925) Endlich bricht für den Verlorenen Sohn die uneingeschränkte Zeit fruchtbaren Schweigens an: „Es kommen schöne, fast jugendliche Abende für ihn, Herbstabende zum Beispiel, die sehr viel stille Nacht vor sich haben . . . Eine Stille ergab sich, die eben noch niemand für möglich gehalten hätte; sie dauerte an, sie spannte sich . . . schritt er schweigend über die Weiden der Welt." (928/935/943) Während das traditionelle Erzählen eine zentrifugale Kraft besitzt, d. h. über sich hinausweist, ist das Aufzeichnen zentripetal, d. h. eigenbezogen. Daraus folgert, daß der Protagonist im Grunde nicht selbst schreibt, er wird vielmehr von der gestaltenden Kraft des Wortes geschrieben, Sinnbild seiner Bemühungen, das ahnungsvolle Schweigen der Sprache ungehindert zum reinen Klingen zu bringen: „Aber es wird ein Tag kommen, da meine Hand weit von mir sein wird, und wenn ich sie schreiben heiße, wird sie Worte schreiben, die ich nicht meine … Aber diesmal werde ich geschrieben werden." (756)

Innerhalb der Stille wird der symbolistische „hasard", Synonym für die Materie, zum Schweigen gebracht. Wie sehr Rilkes poetologisches Denken Mallarmés zentralen Gedankengängen verwandt ist, zeigen die folgenden Bemerkungen: „Désormais, je voudrais toujours vivre en dehors du hasard. Cette pure solitude! Jamais personne qui vous regarde, qui se rend compte de ce qui vous agite et qui, par cela même, déjà s'impose et se mêle à vos intentions. Le hasard: Je veux dire toutes ce recontres inutiles, tous ces bavardages embarrassés, tout ce qui se jette sur vous par inoccupation, par mégarde même, enfin le hasard brut que nous connaissons si bien et qui parfois décide de nous pour des heures, voir pour toute une journée. Ce hasard, je n'en veux plus[130]." Ein Jahr später vertieft er sein Bekenntnis zum Kampf gegen die Zufälle mit Hilfe von Vorstellungen, die dem Mallarméschen „coup de dés", der besagtes Akzidentelle beseitigen soll, verpflichtet sind: „Aber ich glaube, daß man ohne ihn [den heftigen Eigensinn] immer an der Peripherie der Kunst bleibt, … an der wir uns … nur wie ein Spieler am grünen Tisch aufhalten, der, während ihm mitunter mancher ‚Coup' gelingt, nichtsdestoweniger dem Zufall ausgeliefert bleibt, der nichts ist als der gelehrige und geschickte Affe des Gesetzes[131]." Nachdrücklich verweist der Dichter die Rolle des „hasard" in die Pariser Atmosphäre, in der auch das Schicksal seines Malte ausgespielt wird: „Il [le hasard] n'a raison qu'à Paris: puisque là où son choix est énorme, il devient généreux et même inspiré, et dans un monde complet il se fait élémentaire — il ne produit plus d'incidents — il crée des constellations[132]!" Sinngemäß heißt es in Mallarmés *Coup de Dés:* „Rien n'aura eu lieu que le lieu excepté peut-être une constellation[133]."

Auch für Malte Laurids Brigge sind die Eindrücke der Pariser Zeit ebenso wie seine Kindheitserinnerungen und historischen Begebnisse lediglich „Zufälle des Schicksals". (944) Sie bilden Erfahrungsfragmente, in denen die Anstrengungen des Ichs der Mallarméschen Kardinalforderung gelten: „Le hasard vaincu mot par mot[134]." So versucht der Däne, im ständig sich erneuernden Ringen von Aufzeichnung zu Aufzeichnung dem Akzidentellen von Stoff, Zeit und Raum zu entgehen. Seine Bemühungen sind am Ende von Erfolg gekrönt, wenn vom Verlorenen Sohn gesagt wird: „Die Zufälle des Schicksals . . . waren schon längst von ihm abgefallen . . .“ (944) Die Überwindung des „hasard“ verdankt er seiner früheren Einsicht, „sich . . . hinsetzen [zu] müssen und [zu] schreiben, Tag und Nacht; ja, er wird schreiben müssen, das wird das Ende sein“, (728) das Ende aller Zufälligkeiten, denn „die Kunst“, lautet Maltes diesbezügliche Einsicht, „ist doch etwas recht Beneidenswertes.“ (832)

Der schöpferische Drang des Protagonisten ist identisch mit Mallarmés Beobachtung: „Une ordonnance du livre . . . élimine le hasard[135].“ Für die Dauer der Aufzeichnung eines Prosaabschnittes verliert demnach die folgende Tatsache ihre Gültigkeit: „Un coup de dés jamais n'abolira le hasard.“ Indem Malte danach trachtet, hinter dem Erlebnisstoff die Idee an sich zu ergreifen, entzieht er dem „zufällig Fallenden“ (799) wenigstens vorübergehend seinen akzidentellen Charakter. Die endgültige Beseitigung des Zufalls über den Augenblick hinaus steht aber noch aus: „Alles ist Zufall, notwendig ist nur Eines: Gott. Nichts ist gewiß als Gott[136].“ In diesem Postulat Rilkes, den „hasard“ dem Göttlichen, d. h. dem Absoluten preiszugeben, klingt Maltes Konfrontation mit dem „Einen“ an, Synonym für das Wort aller Worte, welches in seiner reinsten Erscheinung noch unverwirklicht ist: „Und in der Tat, wieviel rechthaberische Verbissenheit gehört dazu, sich vorzustellen, daß, während hier so dichte Wirrsal geschah, irgendwo Gesichter schon im Scheine Gottes lagen, an Engel zurückgelehnt und gestillt durch die unausschöpfliche Aussicht auf ihn.“ (915)

Die Konzeption des Akzidentellen umfaßt für den Symbolisten nicht nur das Stoffliche, sondern auch das Bewußtsein selbst, welches seinerseits dafür verantwortlich ist, daß das Ich Kenntnis von der Existenz des „hasard“ besitzt. Infolgedessen hängt die letztliche Vollendung von der Ausschaltung der Persönlichkeit ab. Mallarmés Geständnis gegenüber Henri Cazalis: „ . . . que je suis maintenant impersonnel . . . une aptitude qu'a l'Univers spirituel à se voir et à se développer, à travers ce qui fut moi[137]“ wird von Malte am Schluß bestätigt: „Das war die Zeit, die damit begann, daß er sich allgemein und anonym fühlte . . .“ (942) Indem er sich als Verlorenen Sohn wiedererlebt, hat der Däne seine eigene Maskenhaftigkeit wie auch diejenige der Empirie aufgrund der Interdependenz beider Aspekte durchschaut und in der neutralen Sphäre des Man hinter sich gelassen: „Man war ein Bucanier auf der Insel Tortuga . . .; man belagerte Campêche, man eroberte Vera-Cruz; . . . je nachdem man sich fühlte . . .

51

man war rasch Deodat von Gozon ... man ersparte sich nichts, was zur Sache gehörte." (939)

Aus dem persönlichkeitsgebundenen Ich des Anfangs ist in der Parabel das wertfreie, persönlichkeitsenthobene Er geworden. Malte hat etwas verwirklicht, was Mallarmé als „ce mot même: c'est ..." kennzeichnet: „Tout le mystère est ... là [138]." Sinngemäß lesen wir bei Rilke: „Und immer öfter geschieht es mir, daß ich nicht sagen kann: ich bin ..., sondern, daß ich sagen muß: es ist ... [139]" Das Ich in der abschließenden Eintragung des Prosabuches befindet sich in einem Niemandsland, Sinnbild des Unbehaustseins zwischen dem Unvollkommenen und der Vollkommenheit. Während sich der Däne zu Beginn im Draußen gesehen hat, beobachtet er sich jetzt im Widerschein der früheren Erfahrungen, erkennt er sich als Verlorenen. ,Verloren' ist hier ein Synonym für den Verlust der Persönlichkeit als Zufallsprodukt. Das stellt den ersten Schritt auf dem Weg zur Wiedergewinnung der ursprünglichen Totalität dar, „des Lebens himmlische Hälfte an die halbrunde Schale des Daseins gepaßt, wie zwei volle Hemisphären zu einer heilen, goldenen Kugel zusammengehen ... als Gleichnis." (929)

Somit erfüllen die *Aufzeichnungen* Moréas' Forderung an den symbolistischen Roman, die subjektive Verfremdung der Wirklichkeit durchzuführen. Da aber das subjektive Element nach der Verneinung des Objektiven keinen gleichwertigen Gegenpol mehr hat, verliert es letzten Endes seinen subjektiven Charakter im einseitigen Sinne des Wortes: „Langsam hat er gelernt, den geliebten Gegenstand mit den Strahlen seines Gefühls zu durchscheinen, statt ihn darin zu verzehren ... durch die immer transparentere Gestalt der Geliebten die Weiten zu erkennen, die sie seinem unendlichen Besitzenwollen auftat." (941) Diese Erfahrung des Rilkeschen Protagonisten läßt sich mit dem Begriff der „reinen Subjektivität" erfassen [140]. Eine solche Subjektivität-an-sich erlebt in der Lauterkeit von Maltes „inniger Indifferenz seines Herzens" ihre Erfüllung. (938) Das Ich hat sich selbst transzendiert, es hat „kein Schicksal mehr". (939)

Im wesentlichen ist die Parabel vom Verlorenen Sohn in der Rilkeschen Umkehrung der biblischen Fassung ein Gleichnis für ein Kunststreben, das sein Ziel in sich selbst sucht und findet. So wie der Heimkehrer die Liebesbemühungen der Umwelt zurückweist und auf die Weise ihren Eigenwert in Frage stellt, negiert auch der Symbolist den Selbstzweck alles Außerkünstlerischen: „ ... war es sein größtes Entsetzen, erwidert worden zu sein. Was waren alle Finsternisse seither gegen die dichte Traurigkeit jener Umarmungen, in denen sich alles verlor. Wachte man nicht auf mit dem Gefühl, ohne Zukunft zu sein? Ging man nicht sinnlos umher ohne Anrecht auf alle Gefahr?" (942) Die Entmaterialisierung der Erscheinung verhilft dem Bewußtsein zur freimachenden Transzendenz. Für Malte erweist sich nun die Anerkennung seiner „Gebärde des Flehens, mit der er sich an ihre Füße warf, sie beschwörend, daß sie [ihn] nicht liebten ... der verzweifelten Eindeutigkeit seiner Haltung" als „unbeschreiblich befreiend ..." (945—46) Dadurch, daß er als „Erkannter" in der Lage ist, die Tatsache des Erkanntseins zur Bedeutungslosigkeit zu verurteilen, da er inzwischen den Zustand „des Entfremdeten" errungen, d. h. die Beschränkungen, die ihm ursprünglich auferlegt worden sind, überwunden hat, (945) eröffnen sich ihm die Möglichkeiten absoluter dichterischer Aktivität jenseits der Zufälle von Zeit und Raum: „Welcher Dichter hat die Überredung, seiner damaligen Tage Länge zu vertragen mit der Kürze des Lebens? Welche Kunst ist weit genug, zugleich seine schmale, vermantelte Gestalt hervorzurufen und den ganzen Überraum seiner riesigen Nächte?" (942)

Ungeachtet des symbolistischen Eingeständnisses, daß die menschliche Ausdruckskraft bei dem Versuch, dem Absoluten in seiner letzten Konsequenz adäquate sprachliche Form zu geben, versagen muß — „Wer beschreibt, was ihm damals geschah?" (*Ebd.*) — ist Malte bereit, die mühsam gezüchtete Pflanze neuerworbener Fruchtbarkeit weiter zu nähren. Im Besitz seines „im langen Alleinsein ahnend und unbeirrbar gewordenen Wesens" fühlt er sich dazu befähigt, „Lust und Schmerz" einen „gewürzhaften Beigeschmack" abzugewinnen und alles als „rein und nahrhaft" zu empfinden: „Aus den Wurzeln seines Seins entwickelte sich die feste, überwinternde Pflanze einer fruchtbaren Freudigkeit. Er ging ganz darin auf, zu bewältigen, was sein Binnenleben ausmachte ..." (943—44) Wenn der Protagonist in der Rückschau auf das Vergangene „eine herrliche Sprache hört und fiebernd sich vornimmt, in ihr zu dichten", (943) dann hat sich der Kreis seines ästhetischen Universums geschlossen. Die Entlarvung des Oberflächenscheins auf den Wesensgehalt hin mit dem letztlichen Ziel der reinen Wortwerdung — „Ist es möglich, ... daß man noch nichts Wirkliches und Wichtiges gesehen, erkannt und gesagt hat?" (726) — eine Prämisse, die den Ausgangspunkt und einzige Rechtfertigung des Aufzeichnens bildet, kehrt in der Parabel auf den sprachlichen Ursprung aller Schöpfung zurück.

Gleichzeitig muß Malte aber zu seiner Bestürzung erfahren, „daß ein langes Leben darüber hingehen [kann], die ersten kurzen Scheinsätze zu bilden, die ohne Sinn sind." (944) Zwar ist es ihm gelungen, sich vom Zufall des Empirischen loszusagen, die Eliminierung des „hasard" bedeutet aber ebenso seine Wiederherstellung und Bestätigung durch die „Scheinsätze", d. h. durch das Akzidentelle des Wortes. Dieser Tatsache liegt Mallarmés persönliche Erfahrung zugrunde: „Par l'éternelle blessure glorieuse qu'a la poésie, de se trouver exprimée, même si près du silence ¬...[141]" Malte sieht sich also dem unlösbaren Dilemma gegenüber, die Sprache selbst als etwas Stoffliches, als Ersatz für das Substantielle-an-sich vertilgen zu müssen. In dem Zusammenhang wirft Rilkes Analyse seiner eigenen Situation, die er an Valérys Monsieur Teste mißt, ein bezeichnendes Licht auf die Lage des Dänen: „Was mich angeht, so habe ich an die zwei Jahre vor dem Teste-Problem gestanden ohne den Eingang zu finden, in den unerhörten kleinen Tempel où sur l'autel, dans la flamme pure, se consume l'offrande ineffable de l'absence-féconde...[142]" Desgleichen steht Rilkes Protagonist an der Pforte zu jenem absoluten Heiligtum, dem „Wort... jenseits der Sprache[143]", das nur in seiner „fruchtbaren Abwesenheit" gegenwärtig ist.

Trotz dieses „impasse" darf Malte aber, wiederum im Anklang an Mallarmé, Zuversicht aus der Tatsache schöpfen, daß die bisher verwirklichte Konstellation dessen, was das Wesenhafte seines Werkes ausmacht, von der zerstörerischen Macht des Zufalls nicht mehr angetastet werden kann: „Le hasard n'entame pas un vers, c'est la grande chose[144]." Für die *Aufzeichnungen* gilt, was Rilke über sein sog. Florenzer Tagebuch sagt: „Und nun dieses Buches letzter Wert ist die Erkenntnis eines Künstlertums, das nur ein Weg ist... Es wird nichts sein außer ihm[145]." „Ein Künstlertum, das nur ein Weg ist..." — wie im *Coup de Dés* liegt der Wert des Prosabuches in seiner Eigenschaft als sinnbildliche Darstellung dichterischen Strebens nach dem Absoluten, es bildet den Keim für das ‚Buch' der Zukunft, welches alle Bücher überflüssig machen soll. „Es wird nichts sein außer ihm" — in diesem Bekenntnis zur Ausschließlichkeit des ästhetischen Oeuvre und zum ‚Buch' als seiner Apotheose, wie Mallarmés in Aussicht genommenes ‚Le Livre' es am reinsten verkörpert, finden der französische Symbolismus und *Die Aufzeichnungen des Malte Laurids*

Brigge die ihnen angemessene gemeinsame Ausdrucksform narzißtischen Insichgekehrtseins. Als dessen Symbol fungiert der Spiegel. Seine ästhetischen Implikationen für das vorliegende Werk sollen uns anschließend beschäftigen.

IV

‚LA FOLIE DE MALTE LAURIDS BRIGGE‘

Nur in einem spiegelartigen Verhältnis gelingt es dem Ich, seiner wahren Verfassung im Widerschein des Dinglichen ansichtig zu werden. So gesteht der Protagonist der *Aufzeichnungen*: „Jedenfalls hatte ich Scheu vor den beiden Seiten [„des kleinen grünen Buches"] wie vor einem Spiegel, vor dem jemand steht." (881) Naturgemäß ist der Spiegel ein grundsätzliches Motiv symbolistischer Ästhetik[146]. Er erfüllt eine schöpferische und erkenntnisspendende Funktion: „La création apparaît ainsi aux yeux du poète symboliste comme un immense jeu de miroirs. Dès lors le miroir n'est plus seulement pour lui un thème, une image ou une métaphore. Il devient véritablement l' 'outil de rêve,' ou, mieux, un moyen de connaissance, le mot-clef par excellence, grâce auquel les autres mots retrouveront leur véritable signification[147]." Nicht umsonst erblickt auch Malte Laurids Brigge im Spiegel ein ästhetisches Mittel, zur Wesentlichkeit vorzustoßen: „Wir entdecken wohl, daß wir die Rolle nicht wissen, wir suchen einen Spiegel, wir möchten abschminken und das Falsche abnehmen und wirklich sein", (920—21) wie er es z. B. an der reflektierten Quintessenz Venedigs erlebt, „vielleicht als der einzigen Wirklichkeit in dieser traumhaften Stadt, deren Dasein einem Spiegelbild gleicht[148]."

Auf exemplarische Weise versinnbildlicht die Spiegelepisode auf Schloß Ulsgaard einerseits das Versagen des Ichs angesichts der Möglichkeiten, die die Spiegelbegegnung in sich birgt, andererseits bietet sie dem erwachsenen Protagonisten durch das Wiedererleben dieser Kindheitsszene Gelegenheit, die poetologische Bedeutsamkeit einer spiegelartigen Apperzeption in vollem Umfang zu begreifen. Während der Symbolist die maskenhafte Vorspiegelung falscher Tatsachen zu durchbrechen sucht, erliegt Malte, wenigstens für die Dauer des ursprünglichen Vorkommnisses, dem äußeren Schein: „Ich lernte damals den Einfluß kennen, der unmittelbar von einer bestimmten Tracht ausgehen kann. Kaum hatte ich einen dieser Anzüge angelegt, mußte ich mir eingestehen, daß er mich in seine Macht bekam; daß er mir meine Bewegungen, meinen Gesichtsausdruck, ja sogar meine Einfälle vorschrieb." (804) Die direkte Annahme des Faktischen läßt den Dänen alle Kontrolle über seine Gefühle verlieren. Logischerweise führt die

Verkennung der wahren Wirklichkeit zu einer falschen Einschätzung seiner eigenen Persönlichkeit: „Diese Vorstellungen gingen indessen nie so weit, daß ich mich mir selber entfremdet fühlte; im Gegenteil, je vielfältiger ich mich abwandelte, desto überzeugter wurde ich von mir selbst. Ich wurde kühner und kühner; ich warf mich immer höher; denn meine Geschicklichkeit im Auffangen war über allen Zweifel. Ich merkte nicht die Versuchung in dieser rasch wachsenden Sicherheit." (804) Wie die realistische Perspektive eingeengt ist und somit der Erfahrung der echten Realität verlustig gehen muß, scheitert auch der junge Malte an dem „vagen Maskenzeug" mit seinem „phantastischen Ungefähr" und seiner „dürftigen Unwirklichkeit". (804—5) Obgleich er sich ihres flüchtigen Charakters bewußt wird — „ . . . daß man sie [die Stoffe] kaum zu fassen bekam, oder so leicht, daß sie wie ein Wind an einem vorbeiflogen . . ." — ist er außerstande, daraus die notwendige Schlußfolgerung der Wertlosigkeit alles Materiellen zu ziehen: „In ihnen [den Stoffen] erst sah ich wirklich freie und unendlich bewegliche Möglichkeiten." (805) Letzthin führt ein derartiges Versagen zu einer Verdunkelung des eigenen Bewußtseins. Seine prekäre Verfassung fällt dem „hasard" des Augenblicks zum Opfer: „Aber in demselben Moment . . . geschah das Äußerste: ich verlor allen Sinn, ich fiel einfach aus." (808)

Dieses „Ausfallen" steht in diametralem Gegensatz zur reinen Einsicht, die Malte in der Spiegelbegegnung der Jugendzeit noch fehlt: „Heiß und zornig stürzte ich vor den Spiegel und sah mühsam durch die Maske durch, wie meine Hände arbeiteten. Aber darauf hatte er nur gewartet. Der Augenblick der Vergeltung war für ihn gekommen. Während ich in maßlos zunehmender Beklemmung mich anstrengte, mich irgendwie aus meiner Vermummung hinauszuzwängen, nötigte er mich, ich weiß nicht womit, aufzusehen und diktierte mir ein Bild, nein, eine Wirklichkeit, eine fremde, unbegreifliche monströse Wirklichkeit, mit der ich durchtränkt wurde gegen meinen Willen; denn jetzt war er der Stärkere, und ich war der Spiegel." (807—8) Absolute Erkenntnis basiert auf der vollkommenen Identität von Subjekt und Objekt, die hier zugunsten des uneingeschränkten Primats der Objektwelt über das Ich aufgegeben ist. Folglich stellt sich das Spiegelverhältnis als ein einseitiges heraus. Während der reine Bezug eine gleichwertige Beziehung beider Pole und damit eine wertfreie, autonome Spiegelung voraussetzt, erlaubt die einseitige Spiegeltätigkeit des Ichs, das dazu verurteilt ist, einzig die materielle Erscheinung wiederzugeben, aufgrund dieses Ausgeliefertseins ans Dingliche keinen Übergang von dem äußeren Bild zur Idee: „Eine Sekunde lang hatte ich eine unbeschreibliche, wehe und vergebliche Sehnsucht nach mir, dann war nur noch er: es war nichts außer ihm." (808) Die unmittelbare Reproduktion des sinnlichen Phänomens ohne entsprechende geistige Transposition muß das Ich zwangsläufig zur Wahrnehmung seines Scheiterns bringen: „Und endlich kniete ich vor ihnen, wie nie ein Mensch gekniet hat; ich kniete und hob meine Hände zu ihnen auf und flehte: ‚Herausnehmen, wenn es noch geht, und behalten', aber sie hörten es nicht; ich hatte keine Stimme mehr." (808—9)

Bereits am Ende der Szene deutet sich aber in Maltes Worten ein allmähliches Verständnis der wahren Problematik an. Wenn er darum bittet, „herausgenommen" zu werden, kann daran die keimende Einsicht in das Trügerische der Objektwelt abgelesen werden, desgleichen der Wunsch nach echter Wirklichkeit, um seinem Dasein Authentizität zu geben. Damals war er noch „rein", d. h. nur „ein Stück", (809) seine Zuständlichkeit nichts als ein Abbild des Faktischen. Im Rückblick stellt sich ihm nun die Aufgabe, das Ausweichen aus der Fiktion, die Befreiung von aller Zweckbedingtheit in die Tat umzusetzen. Insofern wird das nochmalige Erleben der vorliegenden Episode und damit die Aufzeichnung selbst zu einem Spiegel. Und in dem Maße, in dem Malte der Grund für sein „Ausfallen" klar wird, entwickelt sich eine Identität zwischen dem erinnerten Spiegelerlebnis als wesenhaftem Phänomen und seiner gegenwärtigen Geistesverfassung, so daß der Übergang von der äußeren Erscheinung zur zentralen Idee erst in der Rückschau vermittels des beschwörenden Einbildungsvermögens zustande kommt. Die Tatsache, daß der Protagonist in der Lage ist, die Spiegelszene aufs neue zu gestalten, und zwar unter eindeutiger Hervorhebung ihrer wesentlichen Züge, liefert den Nachweis dafür, daß er jetzt „diese vereinbarte, im ganzen harmlose Welt", also den Bereich kausaler Zusammenhänge nicht mehr „unversehens", sondern mit dem vollen Verständnis seiner Scheinhaftigkeit betritt und jene „Verhältnisse", die vor Jahren „völlig verschieden waren und gar nicht abzusehen", auf ihren dauerhaften Kern jenseits der flüchtigen Formen untersucht. (802)

Diese spiegelartige Erfahrungsweise wirkt z. B. in Maltes Konfrontation mit der „anderen" Hand[149]. Besagtes Objekt kann man als Gegenbild zur eigenen Hand des Protagonisten definieren. Die spezifische Eigenart des

Erlebnisses liegt darin, daß es keineswegs eine genaue Spiegelung darstellt, sondern eher ein verzerrtes Bild liefert, wenn „ihr [Maltes eigener Hand] mit einem Male aus der Wand eine andere Hand entgegenkam, eine größere, ungewöhnlich magere Hand, wie ich noch nie eine gesehen hatte." (795) Die entstellte Hand ist ein Ergebnis des „dérèglement de tous les sens", (Rimbaud) eine Verzerrung der sinnlichen Aufnahmeorgane des jugendlichen Malte, welche in der ursprünglichen Szene zwar die Umwelt aus ihrer gewohnten Ordnung zu bringen vermögen, aber noch unfähig sind, aus der „déformation" eine neue ästhetische Struktur zu schaffen. Daran denkt Rilke, wenn er in dem Aufsatz „Ur-Geräusche" davon spricht, „daß der Künstler . . . die (. . .) fünffingrige Hand seiner Sinne zu immer regerem und geistigerem Griffe entwickelt . . . [150]"

Indem der erwachsene Malte den Zwischenfall aus der Kindheit vor seinem geistigen Auge heraufbeschwört, wird die auflösende Wirkung des früheren „dérèglement" durch den in sich geschlossenen reflexionsartigen Nachvollzug der ursprünglichen Spiegelung neutralisiert, stößt er durch das Vordergründige der Kindheitserfahrung zu deren wahrhaftiger Bedeutsamkeit vor. Das geschieht auch beim Wiedererleben der Begegnung mit dem „Feind". Dessen sinnbildliche Rolle offenbart sich dem Dänen erst in der Reminiszenz: „Damals erlebte ich, was ich jetzt begreife." (916) Wenn Baudelaire darauf aufmerksam macht, daß „tel petit chagrin, telle petite jouissance de l'enfant, démesurément grossie par une exquise sensibilité, deviennent plus tard dans l'homme adulte, même à son insu, le principe d'une oeuvre d'art[151]", dann entdecken wir bei dem Rilkeschen Protagonisten eine gleiche Geisteshaltung, die nach Jacques Rivière den symbolistischen Roman auszeichnet: „L'écrivain symboliste était en état de mémoire[152]." Auch der Däne erblickt die Tragweite der kindlichen Apperzeption in ihrer dichtungstheoretischen Konsequenz für den erwachsenen Schöpfer: „Vielleicht muß man alt sein, um an das alles heranreichen zu können. Ich denke es mir gut, alt zu sein." (721) Vermittels der Analogie zwischen seinem augenblicklichen Empfinden und dem damaligen Geschehen wird ein „tiers aspect" (Mallarmé), „ein neuer, offener Nebensinn" (918) entbunden, „in dem diese Sache aufzulösen war", um „das Gegenstück zu dieser Handlung hier einzusehen." (920)

In dem Lichte müssen wir die ästhetische Wirkung der einzelnen Aufzeichnung betrachten. Da ihr spiegelartiger Effekt auf der Reflexion von Maltes Wesen beruht, verhütet die gegenseitige Spiegelung von Ich und

Aufzeichnungs-Objekt, daß die Idee dem Vergessen anheimfällt. So wird die Aufmerksamkeit des Dänen auf die Erschließung seines Selbst gelenkt: „... es galt zu erfahren, was ich eigentlich sei ..." (806) Dieser Tatsache trägt der Symbolist im Narziß-Mythos Rechnung[153]. „Ach, wie man zitterte, drin [im Pfeilerspiegel] zu sein, und wie hinreißend es war, wenn man es war." (803) Die Existenz im Spiegel ist der einzige Zufluchtsort, der dem Ich im Kampf gegen das Hier-Sein, die Sphäre der unreinen Materie, offensteht. Einen Kompromiß kann es nicht geben: „Man ist entweder drin ..., dann ist man nicht hier; oder wenn man hier ist, kann man nicht drin sein." (817) Das Im-Spiegel-Sein liefert seinerseits einen Hinweis auf die ureigentliche Vermittlerrolle, die dem Ich in seiner Spiegelexistenz als höchste göttliche Pflicht obliegt. Einmal reflektiert die Außenwelt die Seele des Menschen, zum anderen ist das Ich ein Abglanz der höchsten Idee. Der Mensch erfüllt demnach die Funktion eines durchsichtigen Spiegels zwischen zwei Spiegeln, dem irdischen und dem göttlichen[154].

Vor allem für das mittelbare Darstellungsverfahren des ‚symbolisme' ist der Spiegel die Metapher par excellence. Wenn Malte sich im Spiegelbild eines Erlebnisses beobachtet, projiziert er die subjektive Komponente angesichts dieser exklusiven Apperzeptionsform in ein Verhältnis, das jeder Gegensätzlichkeit von Subjekt und Objekt entsagt. Die Spiegelbeziehung ist demnach ein Sinnbild des symbolistischen ‚culte du moi', und zwar in seiner positiven Konzeption als Kultivierung des reinen Ichs in einer lauteren Selbstbegegnung. Hierfür wählt Malte das Ideal der „großen Liebenden" als symbolische Gestalt des reinen Bezugs. Seine vollkommenste Ausprägung erlebt dieser absolute Zustand in der Erfahrung der Dame à la licorne und des Einhorns, das im Spiegel sich selbst erblickt. In sich ruhend nimmt auch die Frau ihr Spiegelbild in sich zurück. Der Mann ist dazu nicht imstande, weil er am Verlust der ursprünglichen Unschuld, an der Zerstörung der anfänglichen reinen Bewußtseinslosigkeit leidet[155]. Sein intellektuelles Erkenntnisvermögen hat zu einer Spaltung der geistigen Verfassung geführt. Während aber der Narziß des Mythos an dem Versuch einer Personenbildung scheitert, hat Rilkes Narziß Malte diese nur negative Stufe hinter sich gelassen und den Weg der Gestaltgewinnung eingeschlagen.

Der Spiegelbezug des Protagonisten ist im Grunde ein Sinnbild der Einsamkeit und schöpferischen Ausschließlichkeit des Dichters[156]. Darin liegt jedoch die große Gefahr, der das Ich, im Spiegelraum befangen, gegenübersteht. Da Malte sich in einem Erfahrungsbereich aufhält, dessen Schwerpunkt im Ich liegt, bewegt er sich am Abgrund der Unfruchtbarkeit. Was Werner Vordtriede diesbezüglich über Mallarmés „impuissance" zu sagen hat, gilt im Prinzip auch für den Dänen: „His sterility" — im Hinblick auf Malte müssen wir einschränkend hinzufügen: die Gefahr vollständiger künstlerischer Sterilität — „results from his ‚recherche de l'Absolu‘, and the Absolute he only finds in himself, in a world entirely shaped according to his own highest ambitions ..."[157] Einmal muß also das absolute Kunstschaffen in seinem letzten Stadium in eine Phase eintreten, in der das Ich wegen der hermetischen Geschlossenheit und reinen Ichbezogenheit seines spiegelförmigen Universums schließlich gezwungen ist, aus sich selbst zu schöpfen. Diese Tatsache macht ein allmähliches Versagen des kreativen Triebs unvermeidlich. Zum anderen muß aber das Ich des Symbolisten seiner Spiegelperspektive rettungslos verhaftet bleiben. Denn ungeachtet der letztlichen Ausweglosigkeit absoluten Strebens bietet gerade das Auf-sich-selbst-zurückgewiesen-werden die einzige Gelegenheit, schöpferisch wirksam zu sein.

Auf diese Weise erfüllt der Spiegel einer Aufzeichnung den Zweck eines Orakels[158]. Von Begegnung zu Begegnung wird Malte ein Blick in den „Vorhimmel", (937) in das Wesen des Erlebnisses gegönnt, nach dem Vorbild von Mallarmés Protagonisten Hérodiade und Igitur: „ ... j'étais obligé pour ne pas douter de moi de m'asseoir en face de cette glace ..."[159] Darin offenbart sich die Ästhetik der Moderne. Für den neuzeitlichen Dichter ist die Außenwelt ein Spiegel, Sinnbild poetischer Selbstbeschauung, aber noch mehr als eine statische Reflexion seines Selbst, denn der Schaffende muß seine Seele wiedergewinnen, die er dem wissenschaftlichen Zeitalter geopfert hat[160]. Er muß sich aktiv entdecken, d. h. sich selbst neu schöpfen, bevor er sich echten kreativen Bemühungen zuwenden kann. In eben derselben Situation befindet sich Malte Laurids Brigge. Seines dichterischen Versagens schmerzhaft bewußt, schlägt er den Weg der Selbstanalyse im Sinne einer sprachschöpferisch aktiven Innenschau ein. „Voilà ce qui, précisément, exige un moderne: se mirer", lautet Mallarmés Forderung[161]. Offensichtlich klingt hier das Motto an, welches über der Laufbahn des Dänen steht. Bekanntlich haben wir unsere Diskussion unter dem Gesichtspunkt des Sehens eingeleitet. Das Erschauen der Außenwelt, das „voir" des Symbolisten besitzt im „se mirer" sein komplementäres Gegenstück. ‚Sehen‘ und ‚sich sehen‘ bewirken die erkannte Kongruenz von Subjekt und Objekt, das Resultat ist eine „Reflexion als Abspiegeln des eigenen Schaffens während des Schaffensvorgangs im Bewußtsein des Künstlers"[162].

Nach Plato wagt es einzig der Philosoph, sich von der Projektionsfläche der Wirklichkeit abzuwenden und den Ursprung des Lichtes selbst einzusehen. Mallarmé setzt an seine Stelle den Dichter und beauftragt ihn mit der Enthüllung des „rêve" bzw. „idéal". Diesen Prozeß der Umkehrung des schöpferischen Blickes verwirklicht Rilkes Protagonist als symbolistischer Narziß im Schlußteil des Prosabuches: „Si Narcisse se retournait", heißt es dazu in Gides *Traité de Narcisse*, „il verrait, je pense, quelque verte berge, le ciel peut-être, l'Arbre, la Fleur, — quelque chose de stable enfin, et qui dure, mais dont le reflet tombant sur l'eau se brise et que la fugacité des flots diversifie[163]." Während Malte im Verlauf des Aufzeichnens vor den Spiegeln des Empirischen steht, die ihm das Wesen indirekt vermitteln, gelingt in der Parabel die endgültige Abkehr vom Projektionsschein äußerer Realität und der echte Rückblick auf die Quelle, von der alle Erleuchtung ausgeht, die Einsicht in „das Geheimnis" des Daseins. (939) Auf Schloß Ulsgaard verfällt er noch dem Spiegel, jetzt gestaltet er die erkenntnisreiche Rückwendung, wie sie Milosz in seinem „Cantique de la Connaissance" besingt: „Jusqu'au jour où, m'apercevant que j'étais arrêté devant un miroir, je regardai derrière moi. La source des lumières et des formes était là, le monde des profonds sages, chastes archétypes[164]." Da die bisherige Bewältigung der Kindheit kaum über das Anfangsstadium hinausgekommen ist, sieht Malte sich veranlaßt, das „Nachholen" der Vergangenheit, d. h. den Neubeginn im ursprünglichen Schöpfungszustand, dem Baudelaireschen „vert paradis des amours enfantines"[165] zu seiner letzten Konsequenz zu führen: „Er dachte vor allem an die Kindheit, sie kam ihm, je ruhiger er sich besann, desto ungetaner vor; alle ihre Erinnerungen hatten das Vage von Ahnungen an sich, und daß sie als vergangen galten, machte sie nahezu zukünftig." (945)

In dem Zusammenhang verknüpft der Protagonist die Idee der Kindheit mit dem Gedanken des Todes: „Ja die Kinder ... sie nahmen sich zusammen und starben das, was sie schon waren, und das, was sie geworden wären." (721) Der Tod ist die höchste Repräsentanz der Ästhetik des Negativen, die vom Symbolismus des ausgehenden 19. Jahrhunderts ins Leben gerufen würde und auf deren Grundlage wir die poetologischen Bedingungen des Prosabuches untersucht haben. Der Tod gestattet die Rückkehr zum uranfänglichen Chaos. Während des Aufzeichnens kommt es daher zu einem „acte d'auto-destruction", zu einem „désoeuvrement"[166]. Das bezeugen Maltes eigene Andeutungen, die den Tod des Bewußtseins zum Thema haben: „Ich bin der Eindruck, der sich verwandeln wird." (756) Das Ich des Rilkeschen Protagonisten wie auch Mallarmés Igitur begeht ‚Selbstmord‘[167], da es durch seine Identifizierung mit dem Realen als Ebenbild seiner selbst zur Teilnahme an der Negierung des Empirischen verpflichtet ist. Auf die Weise kehrt es zur Präexistenz, zum kreativen Urbeginn zurück: „Ist es möglich, daß man glaubt, nachholen zu müssen, was sich ereignet hat, ehe man geboren war? "[168] (727) Anstatt vor dem Spiegel seiner Eintragungen „auszufallen", muß Malte sich vor ihm vergessen, d. h. seinen Bewußtseinstod erleiden, um so, befreit von den Zufälligkeiten der Bewußtheit, zunächst den reinen Widerschein der Wahrheit im Spiegel lesen zu können mit dem höchsten Ziel, diese auf unmittelbarem Wege zu ergreifen.

Während er in der allerersten Aufzeichnung, der Pariser Hospitalepisode, dem Tod noch in seiner alltäglichen, unpoetischen Gestalt begegnet – „So, also hierher kommen die Leute, um zu leben, ich würde eher meinen, es stürbe sich hier" (709) – werden ihm allmählich dessen metaphysische Implikationen deutlich. Sein „eigener" Tod im Sinne eines eigentlichen Sterbens wird mit dem Massentod im Hôtel-Dieu kontrastiert. Zum „eigenen" Tod gehört das eigentliche Leben, genauer gesagt, beide Aspekte müssen koinzidieren, um eine dichterische Existenz zu schaffen, denn „am Engel der Kunst . . . stirbt man am Werk"[169]. Unter dem Gesichtspunkt bildet der Tod einen integralen Bestandteil symbolistischer Ästhetik. Im Gegensatz zur naturalistischen Todesauffassung ist es der Todeskonzeption des ‚symbolisme‘ nämlich darum zu tun, nicht das Gegensätzliche, sondern die Harmonie von Leben und Tod zu realisieren.

Die alles beherrschende Anwesenheit des Todes in der Sterbeszene des Großvaters erlebt sein Enkel als eine Kraft, welche „der Kammerherr sein ganzes Leben in sich getragen und aus sich genährt hat". (718) Der Tod wird demnach zur extremsten Möglichkeit des schöpferischen Aktes kreiert: „. . . daß man den Tod in sich hatte wie die Frucht den Kern." (727) Die dichterischen Konsequenzen des Sterbens zeigen sich an dessen Fähigkeit, das Akzidentelle der körperlichen und geistigen Existenz zu „verbrauchen": „Alles Übermaß an Stolz, Willen und Herrschaft, das er selbst in seinen ruhigen Tagen nicht hatte verbrauchen können, war in seinen Tod eingegangen, in den Tod, der nun auf Ulsgaard saß und vergeudete." (720) Auch beim Hinscheiden der Mutter erfährt Malte den Tod als physisches und geistiges Phänomen: „ . . . sie fing gleich an zu sterben, langsam und trostlos abzusterben an der ganzen Oberfläche . . . Ihre Sinne gingen ein, einer nach dem andern . . ." (811) Im Lesesaal der Bibliothèque Nationale entfaltet sich dann die wesentliche Identität von metaphysischem Tod und dichterischer Existenz, die Notwendigkeit des Bewußtseins, ,Selbstmord' zu verüben: „Aber hier, meine Lieben, hier bin ich sicher vor euch. Man muß eine besondere Karte haben, um in diesen Saal eintreten zu können. Diese Karte habe ich vor euch voraus. Ich gehe ein wenig scheu, wie man sich denken kann, durch die Straßen, aber schließlich stehe ich vor einer Glastür, öffne sie, als ob ich zuhause wäre, weise an der nächsten Tür meine Karte vor (ganz genau wie ihr mir eure Dinge zeigt, nur mit dem Unterschied, daß man mich versteht und begreift, was ich meine −), und dann bin ich zwischen diesen Büchern, bin euch weggenommen, als ob ich gestorben wäre, und sitze und lese einen Dichter." (744—45) Ebenso steht die schöpferische Metamorphose des Todes im Mittelpunkt des Crémerie-Erlebnisses, wo das Ableben „wie eine Sonne . . . ihm [dem Sterbenden] die Welt verwandelte". (754)

Malte entwirft in seinen Prosagebilden eine poetische Konzeption, wie sie von Lou Andreas-Salomé im Hinblick auf Mallarmé beschrieben worden ist: „Mallarmé nun wäre der gelungene Versuch, objektiv etwas zu vollenden, indem man sich zum Mutterleib macht, der einst Gott war, worin das Werk dauernd verblieb, um zu leben. Es ist . . . ein Kunstwerk und Kunststück zugleich; unsäglich vollendet und doch vor der Geburt[170]." „Vor der Geburt" − das entspricht der Sehnsucht des Symbolisten nach dem reinen Verhältnis heilen Daseins, in dem der „Mutterleib", d. h. Gott und das Werk im absoluten Zustand verharren. Der Tod erlaubt die Wiedergewinnung dieses vorgeburtlichen Ursprungs, so daß der Tod selbst in Anonymität versinkt, wie auch der Tod des Kammerherrn sich selbst auslöschen möchte: „Christoph Detlevs Tod . . . verlangte selber zu sterben[171]." (718) Mit der definitiven Beseitigung aller Antinomien wäre etwas verwirklicht, was „klingt wie eine Glocke in reiner Luft", (745) also die bereits erörterte Sphäre absoluten Schweigens.

Im Schlußteil der *Aufzeichnungen* gestaltet Malte sich selbst als die symbolische Vision seines eigenen Todes, und zwar dadurch, daß er in der

Rückschau das Absterben der materiellen Zufälle noch einmal in Form einer summarischen Reflexion nachvollzieht. In ähnlicher Weise war schon der sterbende Kammerherr zu seinem eigenen Sinnbild, dem Todessymbol sublimiert worden, indem er stellvertretend die Rolle der Totenglocke übernahm. Der Tod verkörpert einmal die Anwesenheit Gottes als Metapher des Schöpferischen, ebenso die Abwesenheit des Göttlichen, die Tatsache, daß Gott die wesentliche Aufgabe bleibt. Malte existiert am Ende als ein „Auferstandener", (943) als ein Phönix, der Asche des Empirischen entstiegen. Derart begründet er aufs neue seine dichterische Berufung, deren höchste Verpflichtung die Realisierung des abwesenden „Einen" ist.

Die Konfrontation mit den Schatten der Vergangenheit und das Versprechen, die Kindheit nun ganz zu leisten sowie das Erleiden des Todes sind, wie wir gesehen haben, ein Sinnbild für die Heimkehr zur Schöpfung-an-sich. Sie verweisen auf die „folie" dessen, der, befangen in einer spiegelartigen Apperzeption, auf der Suche nach dem Absoluten in eine kreative Sackgasse gerät. Unter diesem besonderen Aspekt läßt sich eine Reihe von Analogien zwischen den *Aufzeichnungen* und Mallarmés *Igitur ou la folie d'Elbehnon* ermitteln. Wie Igitur einen symbolischen Abstieg über die Treppe als Verkörperung des menschlichen Geistes zu den Gräbern seiner Vorfahren unternimmt, um in deren Asche die Repräsentation der Bewußtseinslosigkeit, des von allen Zufällen des Geistes gereinigten wesentlichen Bewußtseins zu erfahren, so kehrt der Däne zu seinen eigenen Vorfahren zurück. Beide Protagonisten leiden an der Empfindung des Endlichen, am Determinismus von Zeit und Raum. Wahres Schaffen erfordert völlige Autonomie für den Dichter, ein „moi projeté absolu"[172]. Auf dem Wege dorthin verzeichnet Maltes „unerhörte Gebärde" als Ausdruck des Strebens nach diesem Ziel und als Sinnbild des noch nicht Erhörtseins einen vorläufigen Erfolg. (945) Wenn er sich anstrengt, „das erste Wort eines Verses" hervorzubringen, so ist das in einem absoluten Sinne aufzufassen. Es handelt sich um jenen Absolutismus des Wortes, der den modernen Roman auszeichnet, um den Zustand des Schöpferischen als dauernde und einzige Tätigkeit des Ichs.

Sowohl im *Igitur* als auch im Prosabuch liefern sich die Protagonisten mit ihrer bedingungslosen Hingabe an den Tod dem größten Wagnis aus, das der Mensch sich auferlegen kann, dem schicksalsschweren ‚Würfelwurf' nach dem Absoluten als dem poetischen Ereignis-an-sich. Wie Igitur ist auch der Däne, besonders als Verlorener Sohn, „la conséquence . . . du principe créateur d'où tout est issu. Il est l'archétype, anonyme et impersonnel, le héros d'un conte où il ne se passe rien"[173]. In der Nachfolge seines französischen Vorgängers zweifelt er an dem bisher Geleisteten, lebt er unter dem Damoklesschwert „du vieux monstre de l'Impuissance"[174], bietet sich ihm die Existenz als „le hasard infini des conjonctions" dar[175]. In diesen Konstellationen sucht er „le présent absolu des choses"[176], entdeckt er den wesenhaften Kern seines Daseins. Igiturs Suche nach dem idealen Punkt vollkommener Reinheit wird von Rilke mit Worten bestätigt, die das Wesen von Maltes künstlerischem Glücksspiel treffen: „Alle die scheinbaren Gegenteile, die irgendwo, in einem Punkt zusammenkommen, die an einer Stelle die Hymne ihrer Hochzeit singen — . . ."[177] Unwillkürlich drängt sich eine Parallele zu Mallarmés Ruf nach einer „virginité" auf, „qui solitairement, devant une transparence du regard adéquat, elle-même s'est comme divisée en ses fragments de candeur, l'un et l'autre, preuves nuptiales de l'Idée"[178]. Bis ins einzelne Wort lassen sich hier Übereinstimmungen mit Rilkes Sprachgebrauch nachweisen. Beide Dichter bemühen sich um die „Hochzeitszeichen der Idee", die den Charakter der „Jungfräulichkeit" annimmt, jener „Reinheit", von welcher in der Parabel die Rede ist. Während es von Igitur heißt: „En 'absolu' qu'il est"[179], bleibt für Malte die Verwirklichung der „heure unie" ein Wunschtraum[180]. Bevor die Stunde aller Stunden schlägt, muß er, in Mallarmés Worten, „revivre la vie de l'humanité depuis son enfance et prenant conscience d'elle-même"[181], gemäß seinem eigenen Geständnis: „ . . . daß er beschloß, das Wichtigste von dem, was er früher nicht hatte leisten können . . . nachzuholen." (945)

Kindheit ist nicht nur als persönliche Jugend zu verstehen. Indem Malte sein Trachten auf Gott lenkt, weitet sich seine Vergangenheit zur Kindheit des Menschentums schlechthin aus. Nachdem er, gleich Igitur, den geistigen Tod des Schaffenden erlebt hat, symbolisiert die zeitlose Landschaft der Baux, der Akropolis und der Alyscamps die Erweiterung ins Universale[182]. Im Anschluß an Igitur übersteht der Däne am Beispiel der „versteinerten Zeit" der Baux „das hohe Geschlecht", dem es versagt geblieben ist, „mit allem Erringen von Sieben und Drei die sechzehn Strahlen seines Sterns" zu bezwingen, d. h. den Zufall in Gestalt der Unglückszahl Sechzehn durch den Wurf der Glückszahlen Sieben und Drei zu beseitigen[183]. Der *Coup de Dés* endet ebenfalls mit einer auf das

Absolute zielenden Konstellation, dem „septueur de scintillations", welcher im Sonett „Ses purs ongles..." zum ersten Mal erscheint und einem identischen Thema, nämlich dem Ideal der Sieben verbunden ist[184]. Dort allerdings noch im begrenzten Rahmen eines „miroir", hier jedoch in der Unendlichkeit des Himmels: „Vers ce doit être le Septentrion aussi Nord[185]." Für Mallarmé ist der „Septentrion" ein Sinnbild des Großen Bären, dessen sieben Sterne die Zahl aller Zahlen vorstellen[186]. Desgleichen vollzieht sich Maltes Kampf ums Wort als Auseinandersetzung zwischen den Zufälligkeiten des Daseins in den Spiegeln der verschiedenen Aufzeichnungen und „dem ganzen Überraum seiner riesigen Nächte", (942) Andeutung einer Konstellation, die vielleicht einmal erscheinen wird: „... ce Septentrion métaphysique, à la fois point d'origine et point final de toutes choses[187]", jenem „Stern" in der Leere, „von dem alles ausging"[188]. Der Große Bär mit seinen sieben Gestirnen fungiert im *Coup de Dés* als Sinnbild der Schöpfung schlechthin, eine Metapher, die, wie wir gesehen haben, mit ihrer maßgeblichen Zahl Sieben für den Rilkeschen Protagonisten am Vorbild des Geschlechtes der Baux eine ähnliche schicksalsträchtige Funktion erfüllt wie bei Mallarmé.

Wenn der Franzose von Igitur sagt: „L'infini sort du hasard, que vous avez nié"[189], dann postuliert er das Ideal des wahren Unendlichen im Gegensatz zum mathematischen Unendlichen, das er in seinem Werk durch die vergangenen, gegenwärtigen und zukünftigen Erscheinungen der „Rasse" heraufbeschwört. Authentisches Dasein ist an die Überwindung der zahlenmäßigen Kategorien gebunden, in denen das unlautere Bewußtsein denkt. Schon im Zusammenhang mit Nikolaj Kusmitsch wird in den *Aufzeichnungen* das Thema der Zahlen-Problematik angeschlagen. Dort macht Maltes Nachbar den Versuch, die restlichen Lebensjahre auf eine „Zeitbank" einzuzahlen, um auf die Weise das Zeitphänomen in seine Gewalt zu bekommen. Naturgemäß muß ein solches Unternehmen scheitern: „Aber es ist klar, daß man ihnen [den Zahlen] keine zu große Bedeutung einräumen darf; sie sind doch sozusagen nur eine Einrichtung von Staats wegen, um der Ordnung willen." (868) Jede oktroyierte zahlenmäßige Ordnung schafft nur die Illusion einer Zufallsbannung: „Es war ausgeschlossen, daß einem zum Beispiel in einer Gesellschaft eine Sieben... begegnete. Da gab es die einfach nicht." (*Ebd.*) Der „hasard" in Form des Sozialen kann nur in der ästhetischen Sphäre getilgt werden, in der künstlerischen Gestalt „eines Gedichtes". (*Ebd.*) Mit Hilfe eines solchen Aufzeichnungs-Gedichtes kämpft Malte darum, die Vorherrschaft der Zahlen als Ausdruck der unzureichenden irdischen Verhältnisse zu brechen und damit dem Unbewußten zum Sieg zu verhelfen in Anerkennung der Tatsache, daß die Erschaffung des menschlichen Bewußtseins synonym mit der Hervorbringung des Nicht-Absoluten ist[190]. Das Schicksal des Dänen hat sich in Form einer „Hyperbel" (783) zu vollziehen, welche mit ihren beiden ins Unendliche laufenden Zweigen die Entgrenzungsbestrebungen des Symbolisten illustriert[191]. Diese unendliche Aufzeichnungs-Bewegung kulminiert im grenzenlosen Ausblick der Parabel. „Die Kunst", erfahren wir von Rilke, „stellt sich dar als ... die längste Linie, vielleicht das Stück einer Kreisperipherie, das sich als Gerade darstellt, weil der Radius unendlich ist[192]." Jedes Kunstwerk ist seinem innersten Wesen nach unendlich, d. h. nur ein Bruchstück der erstrebten Ganzheit.

Für Igitur ist das Schlagen seines Herzens ein Ausdruck des Akzidentellen. Als Sinnbild des Geschlechtes erlebt auch Malte Laurids Brigge durch den Tod seines Vaters dessen Herz, das es als Urbild aller Zufälligkeiten zu „zerbrechen" gilt: „Nun war das Herz durchbohrt, unser Herz, das Herz unseres Geschlechts. Nun war es vorbei. Das war also das Helmzerbrechen: ‚Heute Brigge und nimmermehr', sagte etwas in mir." (855) Um das höchste Unendliche zu erreichen, muß jede Bindung an die Familie aufgehoben werden: „L'infini enfin échappe à la famille ...[193]" Dem Einzelnen ist es vorbehalten, den ursprünglichen Akt zu wiederholen: „An mein Herz dachte ich nicht. Und als es mir später einfiel, wußte ich zum erstenmal ganz gewiß, daß es hierfür nicht in Betracht kam. Es war ein einzelnes Herz. Es war schon dabei, von Anfang anzufangen." (855) So überlebt für den Verlorenen Sohn der Ewigkeitswert die familiäre Bindung: „Denn er erkannte von Tag zu Tag mehr, daß die Liebe ihn nicht betraf, auf die sie so eitel waren ... und es wurde klar, wie wenig sie ihn meinen konnten." (946)

Paul Valérys Kommentar zur Form des *Igitur* erhellt in diesem Zusammenhang bis zu einem gewissen Grade die Gestalt der *Aufzeichnungen*: „Texte ... qui parle et qui ne parle pas; tissu de sens multiples; qui assemble l'ordre et le désordre; qui proclame un Dieu aussi puissamment qu'il le nie; qui contient ... toutes les époques ...[194]" Auch Maltes Sprache sagt aus und verhüllt zur gleichen Zeit, und zwar im Rahmen einer Struktur, deren fragmentarische Erscheinung die geheime ursprüngliche Ordnung aller Ordnungen vertritt. Ebenso verleugnet er

„Gott beinahe über der harten Arbeit, sich ihm zu nähern . . .", (944) durchlebt er im letzten Teil des Werkes wie Igitur das Schicksal des Individuums und die Geschichte der Menschheit. Dies alles unter dem kategorischen Imperativ des Poetischen, „d'enlever enfin une page à la puissance du ciel étoilé"[195]! Der ‚Würfelwurf' oder „frappe unique" hat laut Igitur zur Mitternacht zu geschehen, wenn sich Tag und Nacht im idealen Gleichgewicht befinden. Malte kann jedoch nur bis zu den „riesigen Nächten" vordringen, Igiturs „minuit", der Augenblick des Absoluten selbst ist „noch nicht" gekommen. Wie für den Dänen das Einhorn ist für den Mallarméschen Protagonisten „la Corne de licorne — d'unicorne"[196] die sinnbildliche Verkörperung des Einheitsgedankens. Seine Realisierung erweist sich aber in beiden Fällen als unmöglich angesichts des unlösbaren Dilemmas, dem der Sucher nach dem Absoluten ausgesetzt ist. Diese Zwangslage hat ‚zwei Hörner'[197], d. h. die Anstrengungen des Protagonisten unterliegen dem Widerspruch zwischen extremer Zielsetzung und persönlicher Unzulänglichkeit. So erfährt Malte lediglich Mallarmés „correlation intime de la Poésie avec l'Univers"[198] — „Nächte kamen, da er meinte, sich auf ihn [den „Einen"] zu werfen in den Raum" (943) — Vorbedingung für die absolute Konstellation als Überwindung der „verzerrten Konstellation" (917) des Aufzeichnens, hinter der wie für Abelone „die Sterne . . . der Freiheit" erscheinen. (844)

Damit hätte sich der Kreis symbolistischer Repräsentation geschlossen: Deformation – Sehen – Bezug – Suggestion – Steigerung – Zufall – Spiegel – Tod – dichtungstheoretische Kernbegriffe symbolistischer Provenienz, mit deren Hilfe wir es unternommen haben, die ästhetischen Grundbedingungen von Rilkes *Aufzeichnungen des Malte Laurids Brigge* zu ergründen, koinzidieren im Gedanken der dichterischen „folie": Symbol der Weltvernichtung und -neuschöpfung und ebenfalls des in letzter Konsequenz fruchtlosen Unterfangens, sich des Absoluten auf direktem Wege zu bemächtigen. Insofern können wir im Bezug auf das Prosabuch mit Fug und Recht von einer „Endzeit des Buches" im Sinne des Mallarméschen ‚Würfelwurfs' sprechen, der seinem innersten Wesen nach zur Erfolglosigkeit verurteilt ist[199]. Bekanntlich ist ‚Dé' ein altgallisches Wort für Gott[200]. Indem Rilkes Protagonist den ‚Gotteswurf' wagt, die kreative Urtat, aus der alles hervorgegangen ist, maßt er sich das exklusive Vorrecht des Höchsten an, muß er aufgrund dieser ästhetischen Blasphemie mit ‚l'absente de toutes constellations' vorliebnehmen.

V

DIE FORM DER ‚AUFZEICHNUNGEN‘

Was die äußere Gestalt des Prosabuches anbetrifft, so macht sich der Wille des Subjekts die stoffliche Illusion im strukturellen Rahmen eines „formellen Narzißmus" zunutze, an die Stelle der positivistischen „sachlichen Spiegeloptik" tritt die narzißtische in der Erscheinungsform von „Spiegelscherben subjektiver Vorstellungen" als Reaktion des ‚symbolisme‘ auf das mangelnde Vertrauen in jegliche Dokumentation[201]. Die Suche nach der Wahrheit, d. h. nach rein dichterischer Wahrhaftigkeit ersetzt in der modernen Prosa das Romanhafte. Daraus resultiert für den Schöpfer ein „Entgrenzungsprozeß"[202], für viele Kritiker aber eine sog. Krise der Form. Rilkes Werk lebt nun gerade von dieser Spannung zwischen Komposition und Substanz. Die Formkrise wird hier zu einem Paradigma der schöpferischen Problematik an sich, die ihrerseits alle mimetischen Absichten überschattet. Die literarische Situation der *Aufzeichnungen* ist also grundsätzlich wie im Symbolismus ein musikalisches Problem, da die Antinomie von Form und Inhalt durch die Transposition des Empirischen in ein immaterielles reines Sein im Bereich der Musik ihre ideale Aufhebung erfährt.

Rilke mag zwar nicht ausdrücklich an der Auflösung der Romanform als solcher gearbeitet haben. Ungeachtet dessen dürfen wir aber behaupten, daß er jenseits aller Genre-Grenzen das Trügerische der Empirie und die Notwendigkeit, die schöpferische Ur-Tat neu zu begründen, voll und ganz anerkennt. Insofern hat er ohne Zweifel maßgeblichen Anteil am allgemeinen Deformationsprozeß, wie er, ausgehend vom Symbolismus, die Umwälzungen der Moderne herbeigeführt hat. Unter diesem Gesichtspunkt müssen wir den Tatbestand, daß der Verfasser aufgrund seiner hauptsächlich lyrischen Neigungen nicht als ausgesprochener Romancier gewirkt hat, geringere Bedeutung beimessen[203].

Bei der Beantwortung der Frage nach der Form seines Werkes ist nun folgendes zu berücksichtigen: Allein die Tatsache der dichterischen Auseinandersetzung mit der Objektwelt stellt die gegebenen Zusammenhänge prinzipiell in Frage, die Kohärenz erweist sich als Schein. „La narration objective des phénomènes sensibles", lautet die diesbezügliche

These des Symbolisten, „n'est pas esthétique. La nature présente des formes esthétiquement défectueuses"[204]. Damit bleibt als alleinige Gewißheit für den Protagonisten die Möglichkeit der phänomenologischen Apperzeption, der Einsichtnahme in den kreativen Akt selbst. In den *Aufzeichnungen* wird demnach jene Entwicklung offenbar, die im ‚symbolisme' ihre vollste Ausprägung erfahren hat, nämlich die Selbstanalyse des künstlerischen Verfahrens: „The great strength of ‚symbolisme' was that it succeeded in isolating the hypothetical germ of literature . . .[205]"

Kompositionsmäßig ist die äußerliche Erscheinung des Prosabuches ein getreues Abbild des Malteschen Geständnisses, die Erlebnisse in keinen erzählerischen Zusammenhang bringen zu können. Trotz aller motivisch-thematischer Verflechtung muß die im Sinne orthodoxer Fiktion durchaus existierende Formlosigkeit als Faktum und ureigenstes Wesensmerkmal des Rilkeschen Werkes akzeptiert werden. Keinesfalls wollen wir das Vorhandensein einer bis zu einem gewissen Grade entwickelten Chronologie und eines teilweisen Aufbaus leugnen. Was aber im Hinblick auf das letztliche Ziel des Buches, die Verwirklichung des Absoluten, trotz bestimmter Ansätze zu einer gegliederten Struktur in erster Linie zählt, ist der Versuch, das Materielle zu eliminieren. In dieser Hinsicht ist der nur zum Teil realisierte Bauplan lediglich ein Sinnbild des Malteschen Unvermögens, den rein erzählerischen Vorgang als Symbol des Stofflich-Akzidentellen und Oberflächlich-Trügerischen ganz zu transzendieren. Die letztgültige Absicht, ein autonom-wertfreies Schaffen zu verwirklichen, läßt die motivisch-thematische Verknüpfung im Endeffekt bedeutungslos erscheinen. Selbst wenn das Prosabuch ein gewisses Maß an fiktiver Gestaltung aufweist, kann letztere nicht isoliert von dem sie an Folgenschwere übertreffenden Realitätsschwund betrachtet werden. Ist das Vordergründige dem Verfall preisgegeben, dann wird jeder äußere Plan, welcher die Materie zu ordnen sucht, seines überkommenen Wertes beraubt. Nicht um konventionelle Form geht es in den *Aufzeichnungen*, sondern vielmehr um das Ideal der Form-Leere, d. h. auch die Erörterung des Aufbaus muß sich am symbolistischen Ideal des „néant" orientieren.

Bezeichnend ist, daß sich die Verteidiger eines Kompositionsprinzips im allgemeinen mit qualifizierten Formulierungen begnügen. So z. B. Walter Seifert, der u. a. von der „Andeutung einer Chronologie", von „einer partiellen Geschlossenheit" spricht[206]. Desgleichen Ernst F. Hoffmann, bei dem von „einer gewissen Symmetrie der Anordnung", einer „Verwandtschaft zur Symmetrie" die Rede ist und von dem „die Gesamtstruktur als verhältnismäßig wohl ausgewogen" charakterisiert wird[207]. Derart zurückhaltende Feststellungen vermindern die Allgemeingültigkeit der verfochtenen These von einer „versteckten Symmetrie", denn „außerhalb dieser Ordnung stehen . . . die Pariser Aufzeichnungen"[208]. Wenn Seifert für das „Strukturprinzip einer kreisförmigen Rückkehr zum Ursprung" plädiert[209], dann trifft es zwar zu, daß Malte durch die erneute Bestätigung der dichterischen Pflicht die ursprüngliche Tätigkeit wieder aufnimmt. Allerdings ist es verfehlt, in dem Zusammenhang von einer „Struktur" zu sprechen, weil die ästhetische Einverwandlung der Empirie jegliche konventionelle „Struktur" zunichte gemacht hat. In Anbetracht der absoluten Tendenz kann es für das Prosabuch keine kompositionelle Totalität geben, da sie nur das Produkt des „hasard" wäre. Auch die übergreifende Wirkung der Parabel unterliegt dem exklusiven Anspruch des noch ausstehenden entscheidenden ‚Würfelwurfs'. Die gleichen Zweifel tauchen bei Theodore Ziolkowskis Behauptung auf, in Rilkes Werk lasse sich „a distinct pattern of structure and development" nachweisen; indem Malte sich „from temporality to timelessness" bewegt, vernichtet er gleichzeitig den Zufall der Form[210]. Ein künstlerisches Gebilde, das durch „die extremen Positionen des Glaubens an das unendlich vollendete Werk und das unendlich vergebliche Verlangen danach" gekennzeichnet ist, enzieht sich einer kategorischen Aussage über seine definitive Gestalt[211]. Deren endgültiger Charakter ist einer Phase vorbehalten, die außerhalb des Buches liegt. Nur unter Berücksichtigung seines höchsten Zieles kann diesem bei seiner ästhetischen Beurteilung volles Recht widerfahren.

Problematisch ist auch Rilkes Ausspruch von „der Einheit . . . der Persönlichkeit" in den *Aufzeichnungen*[212]. Eine strukturfördernde Rolle kann dem Protagonisten keinesfalls zugebilligt werden. Dementsprechend sieht er seinen anfänglichen Irrtum ein, irgendwelche Ordnung schaffen zu müssen: „Erst mußte alles geordnet sein, wiederholte ich mir. Was geordnet sein wollte, war mir nicht klar. Es war so gut wie nichts zu tun." (855) Angesichts der Überfülle des Daseins ist jeder Versuch einer Kausalrepräsentation zum Scheitern verurteilt: „Es war das Verhängnisvolle dieser dargestellten Gedichte, daß sie sich immerfort ergänzten und erweiterten und zu Zehntausenden von Versen anwuchsen . . ." (912) In Anbetracht solcher Gegebenheiten beruht Maltes Erfassung der Umwelt auf einer vorwiegend emotionalen Apperzeption. Da die Gefühlsbewegungen intensiver und kurzfristiger Natur sind sowie unerwarteten Schwankungen und Richtungsänderungen unterliegen, bestimmt diese ständige stoffliche Neuorientierung die äußere Erscheinung des Werkes. „Als ob ich nicht gewußt hätte", bestätigt der Däne, „daß alle unsere Einsichten nachträglich sind, Abschlüsse, nichts weiter. Gleich dahinter fängt eine neue Seite an mit etwas ganz anderem, ohne Übergang." (870–71) Dem Leser bietet sich in Rilkes Worten „ein zerhackter, gebrochener Rhythmus" dar, von dem das Ich „in viele, unvorhergesehene Richtungen gezogen" wird, so daß sein Aufzeichnen „ein ständiges Herumtappen, ein Marsch ins Dunkle ist"[213]. Die bedingungslose Annahme der ganzen Wirklichkeit rechtfertigt die vorliegende Gestalt des Prosabuches wegen der gefühlsmäßigen Reaktion des Protagonisten. Ein geordnetes Schema, das auf einer hierarchischen Konstruktion, einer Über- und Unterordnung der Elemente beruht, würde dem ureigensten Wesen des Emotionalen zuwider laufen. Darüber hinaus macht die Blut- und Gebärdewerdung des Gefühlsstoffes eine empirische Strukturierung unnötig. Schließlich ist in Betracht zu ziehen, daß Maltes Aufzeichnen den Tod des Ichs nach sich zieht. Infolgedessen schaltet der ‚Selbstmord‘ der Persönlichkeit als Zufallserzeugnis die Person als Maßstab für das Verständnis der Form aus.

Die separaten Abschnitte als Gefäße der Malteschen Emotionen manifestieren einzig den Rhythmus des schöpferischen Geistes ohne Rücksicht auf formale Bedenken als spontane Äußerung des kreativen Dranges. Da dieses Ringen um das ‚mot juste‘ in jedem Abschnitt vor sich geht, gilt trotz des Dichters gegenteiliger Meinung gerade „die notwendige Einheit ... eines Gedichtes", d. h. eines individuellen Abschnittes[214]. Die *Aufzeichnungen* sind nämlich ein Beispiel für den Prozeß der Verräumlichung, der sich im modernen Roman abzeichnet[215]. Die äußeren Phänomene werden aus ihrem empirischen Zusammenhang herausgelöst und aufeinander bezogen. Es entsteht eine ästhetische Sphäre der Reflexion jenseits des außenstrukturierlichen Gut oder Böse. Symptomatisch für eine solche räumliche Werkkonzeption ist die fixierte Position des Rilkeschen Protagonisten: „Ich sitze in meiner kleinen Stube, ich, Brigge ..." (726) Die dichterische Konsequenz, welche sich hieraus ergibt, spiegelt die Exklusivität und Geschlossenheit, wie sie das Universum einer symbolistischen Schöpfung darstellt. Zwar gestattet es der Dichter seinem Malte, räumliche und zeitliche Schranken zu überwinden, Ausgangspunkt des Strebens bleibt jedoch das Zimmer in Paris, dem somit eine metaphysische Bedeutsamkeit aneignet.

Wichtig ist, daß die psychologische Zersplitterung des Ichs keinen negativen Einfluß auf dessen kreatives Vermögen ausübt[216]. Das symbolistische Ich lebt in einem paradoxen Spannungsverhältnis zwischen der Einsicht in die physische sowie seelisch-geistige Gespaltenheit und dem Glauben an die Möglichkeit einer Wiederherstellung der wesentlichen Einheit außerhalb konventioneller Strukturen. Letztere Zuversicht schafft die Vorbedingung für die schöpferische Tat. Denn sobald das ästhetische Ich bereit ist, die zeitlichen, räumlichen und bewußtseinsmäßigen Zufälle des Daseins auszuschalten, gewinnt es aus der Erkenntnis besagter Antinomie die notwendige Initiativkraft, die orphische Verwandlung der Erde einzuleiten. Somit liefert die künstlerische Einbildungsfähigkeit den Nachweis für die wesentliche Unabhängigkeit der ästhetischen Fakultät von der psychologischen Verfassung des Ichs. Die soeben beschriebene Situation trifft im Kern auf Maltes Verhältnisse zu. Auch in seinem Fall erlaubt das Primat des ästhetischen Bewußtseins dem ästhetischen Ich, der Notwendigkeit des psychologischen Ichs, seine existentielle Disintegration durch die Herstellung einer empirischen Struktur zu vertuschen, aufgrund des absoluten Endziels zu umgehen und sich stattdessen auf den wesenhaften Augenblick als Widerschein einer höheren Ordnung zu beschränken. Folglich überschattet die Frage nach der schöpferischen Aktivität, nach dem Qualitativen jegliche Diskussion über das Quantitative oder Kompositionelle.

Auch die Geschichte vom Verlorenen Sohn steht zu unserer These in keinem Widerspruch. Wenngleich sie in ein erzählerisches Gewand gehüllt ist, muß das endgültige Urteil über ihre Form in Anerkennung der Tatsache gefällt werden, daß hier der Schritt vom subjektiven Ich zum neutralen Man unwiderruflich vollzogen wird. Das ist seinerseits unbedingte Voraussetzung für das Aufgehen des Akzidentellen von Materie und Bewußtsein in der reinen Sphäre absoluten Schaffens. Folglich verbirgt die fiktive Hülle der Parabel die grundsätzliche Ausschaltung des erzählerischen Scheins. Wegen dieser tiefsten Absicht stellt der Schlußteil des Prosabuches unter keinen Umständen die Rekonstituierung der konventionellen Erzählfähigkeit dar[217].

Wenn wir die Form des Gedichtes als Charakteristikum der *Aufzeichnungen* vorgeschlagen haben, dann verstehen wir darunter kein in sich geschlossenes Gebilde, sondern etwas Bruchstückartiges. Dank seiner Unvollkommenheit bietet sich das Fragment als Sinnbild des symbolistischen Negierungsprozesses geradezu an. „Non pas à faire cet ouvrage", erfahren wir von Mallarmé unter Bezugnahme auf sein in Aussicht genommenes Oeuvre, das alle anderen Werke überflüssig machen sollte, „dans son ensemble (il faudrait être je ne sais qui pour cela!) mais à en montrer un fragment d'exécuté, à en faire scintiller par une place l'authenticité glorieuse, en indiquant le reste tout entier auquel ne suffit pas une vie[218]." Im Sinne dieser Forderung bildet für Rilke das Bruchstück ein Mittel, seiner schöpferischen Obliegenheit in stellvertretender Repräsentanz der Totalität Genüge zu tun. Im Rodin-Aufsatz weist er darauf hin, „daß ein künstlerisches Ganzes nicht notwendig mit dem gewöhnlichen Ding-Ganzen zusammenfallen muß", denn „dem Künstler steht es zu, aus vielen Dingen eines zu machen und aus dem kleinsten Teil eines Dinges eine Welt", da er „die Macht" besitzt, „irgendeinem Teil ... die Selbständigkeit und Fülle des Ganzen zu geben"[219]. So vertritt für Malte das individuelle Aufzeichnungs-Fragment die Existenz des gesamten ‚Buches' in seiner Abwesenheit. Dieser zerrüttete Lebenskosmos des Dänen gewinnt am Beispiel des alten Schlosses Urnekloster sichtbare Form: „So wie ich es in meiner kindlich gearbeiteten Erinnerung wiederfinde, ist es kein Gebäude; es ist ganz aufgeteilt in mir; da ein Raum, dort ein Raum und hier ein Stück Gang, das diese beiden Räume nicht verbindet, sondern für sich, als Fragment, aufbewahrt ist." (729) Damit bestätigt der Protagonist das Bruchstückartige als Basis seiner Apperzeption und Grundkomponente des Werkes. So begreift er in der Tradition des symbolistischen ‚suggérer' die ästhetische Funktion des Fragments als Mittel der Evokation des Unsichtbaren durch das Medium des Empirischen. Allerdings hat das Bruchstück nur als Symbol der Vollendung Daseinsberechtigung. Für den Fall, daß der ausschlaggebende ‚Würfelwurf' wider Erwarten doch noch zustande kommen sollte, müßte es seine stellvertretende Rolle einbüßen, würde es selbst der Vernichtung anheimfallen. Daher ist es verfehlt, den Aufzeichnungs-Fragmenten des Prosabuches eine erzählerische Intention zuschreiben zu wollen. Sie wirken einzig „wie Sterne stehend über der unstäten Zeit", als Vorboten des „Einen": „ ... bis eines Tages eines [ein Bruchstück] sich offenbart, sich zeigt, strahlt wie ein erster Stern, neben welchem plötzlich ... hunderte ankommen aus den Tiefen des Himmels athemlos — ..."[220]

Der Wert des Gedicht-Fragmentes liegt für den symbolistischen Roman-cier vor allem darin begründet, daß es das unreine Element des Roman-haften beseitigt. Dergestalt definiert J.-F. Huysmans die ästhetische Wir-kung des ‚poème en prose'. „Maniée par un alchimiste de génie, elle [la forme de la littérature en prose] devait ... renfermer, dans son petit volume, à l'état d'of meat, la puissance du roman dont elle supprimait les longueurs analytiques et les superfétations descriptives ... écrire un roman concentré en quelques phrases qui contiendraient le suc cohobé des centaines de pages toujours employées à établir le milieu, à dessiner les caractères, à entasser à l'appui les observations et les menus faits ... En un mot, le poème en prose représentait ... le suc cohobé, l'osmazome de la littérature, l'huile essentielle de l'art[221]." Nach Ulrich Fülleborn besteht die purifizierende Wirkung des Prosagedichtes in einer „Tilgung der Mittei-lungsfunktion" der Sprache, in einer „Aufhebung des Inhalts in der Struktur des Textes"[222]. Auf die gleiche „Zweckentfremdung" des Wortes läuft bekanntlich das Maltesche Aufzeichnen hinaus, das wie das ‚poème en prose' — wohlverstanden nicht in der engeren Bedeutung von Gedicht, sondern generell gesprochen als „kleine Dichtung in ungebundener Rede"[223] — die symbolistische Suggestion bewirkt, „einen veränderten Sprachzustand, erhöhte Poetizität im Sinne einer Verabsolutierung der nicht-kommunikativen Kräfte der Sprache ... der ... evokativen Energien — unter gleichzeitiger Steigerung des Gebildecharakters der Dichtung"[224].

Die nachfolgende von Suzanne Bernard erschlossene Eigenschaft des ‚poème en prose' macht dessen poetologische Affinität mit dem gestalte-rischen Prozeß in den *Aufzeichnungen* offensichtlich: „Il y a à la fois dans le poème en prose une force anarchique, destructive, qui porte à nier les formes existantes, et une force organisatrice qui tend à construire un tout poétique ... à créer une forme organisée, formée sur soi, soustraite en temps[225]." Die Ursache für die Aufteilung des Werkes in prosagedichtartige Fragmente ist demnach in einem schöpferischen Verfahren zu suchen, das auf einem Zerlegen und gleichzeitigen Neuorganisieren beruht. Das entspricht der Deformationstheorie, die wir für das Prosabuch aufgestellt haben, sowie dem kreativen Drang, welcher in dieser Zersplitterung des Malteschen Universums keimt. Solche destruktive Poetologie bedient sich eines Ichs, das „in gewissen Momenten so scharf und doch immer wieder aufgelöst" erscheint. (733) Im Verlauf dieses Prozesses muß die einzelne Aufzeichnung nach dem Vollzug der Konfrontation einer neuen Begegnung des Protagonisten mit einem anderen Ausschnitt aus der Umwelt weichen. Nachdem Malte den Zweck des jeweiligen Erlebnisses eingesehen hat und die Kraft des sprachlichen Gestaltungsimpulses verbraucht ist, werden die Eintragungen zugunsten dessen, was in ihnen an Wesenhaftem verborgen ist, bedeutungslos, sie unterziehen sich einer materiellen Selbstzerstörung im Laufe der sinnbildlichen Vergegenwärtigung der Idee. So hebt sich die empirische Hülle des Prosabuches von Bruchstück zu Bruchstück auf, erneuert sich das Werk aber in demselben Maße, in dem das Substantielle bewahrt bleibt. Die schöpferische Bewegung des Aufzeichnens bietet also ein Bild simultaner Selbstvernichtung und Selbstbestätigung[226]. Derart charakterisiert Maltes Eigenkommentar den Rhythmus seines Schaffens: „Es wandelte sich ab, es war niemals genau dasselbe. Aber gerade das sprach für seine Gesetzmäßigkeit." (872)

Rilke ist bestrebt, in den *Aufzeichnungen* das zu verwirklichen, was Mallarmé als „le chant jaillit de source innée: antérieure à un concept" definiert[227]. Da dem Kunstwerk in seiner unreinen Form eine dauerhafte Existenzgrundlage versagt bleibt, und zwar aufgrund der Tatsache, daß die Sicherheit ein Attribut der Dinge und demnach zufallsbedingt ist, findet das Prosabuch seine ausschließliche Bestätigung als Zukunftsentwurf, „eine gespannte, wartende Welt, unfertig, vor der Erschaffung des Klanges", wie Malte gesteht. (779) Das Werk ist formal nur in dem Maße vorhanden, d. h. real, in dem wir seine wesentliche formale Irrealität anerkennen. Seine eigentliche Aufgabe besteht darin, den Traum seiner mutmaßlich vollkommenen Gestalt durch die Existenz seiner unreinen bruchstückartigen Hypothese vorzustellen, wie auch der ideelle Aspekt des Buches lediglich auf der Annahme der Idee-an-sich fundiert ist. Mit dem Primat des Fragmentarischen erfüllt der Verfasser das Vermächtnis seines Vorbildes Baudelaire. Indem Rilke es unternimmt, „den Ruin" zu „reinigen", erhebt er das Sinnbild der Zerstörung, das Bruchstück, zum Symbol der Wiederherstellung der verlorenen Einheit im Sinne absoluter Totalität — „auch noch das Vernichtende wird Welt" — „bescheinigt" er auf diese „unerhörte" Weise „das Schöne" im Chaos der Eindrücke[228]. Letzten Endes ist auch der formale Aspekt der inneren Widersprüchlichkeit einer absoluten Kunstrichtung unterworfen. Deren eigentliches Wesen ist die Lust des reinen Widerspruchs. Maltes wahrscheinliches Versagen, den Zusammenhang-an-sich zu erneuern, wird deshalb kein Fehlschlag in der herkömmlichen Bedeutung des Begriffes sein. Die grundsätzliche Ausweglosigkeit seiner Anstrengungen kann nicht an menschlichen Maßstäben gemessen werden. Streben und Mißlingen bleiben untrennbar miteinander verknüpft, beide sind in der unzulänglichen Natur sowie der ausschließlichen Zielsetzung desjenigen begründet, für den das Absolute das einzige Kriterium abgibt. Im Sinne Hamlets bedeutet ,Sein oder nicht sein' für Rilkes Protagonisten, die Verwirklichung des Absoluten anzustreben oder unterzugehen.

ANMERKUNGEN

1 Vgl. René Wellek: „ . . . we should always recognize that such a term fulfilled its function as a tool of historiography if it has made us think not only about individual works and authors but about schools, trends and movements and their international expansion. Symbolism is at least a literary term which will help us to break the dependence of much literary history on periodization derived from political and social history (such as the term ‚Imperialism' used in Marxist literary histories which is perfectly meaningless applied to poetry at that time). Symbolism is a term (and I am quoting the words I applied to Baroque in 1945), which prepares for synthesis, draws our minds away from the mere accumulation of abservations and facts, and paves the way for a future history of literature as a fine art." („The Term and Concept of Symbolism in Literary History", in: *Discriminations: Further Concepts of Criticism*. New Haven and London 1970, S. 121)

2 Vgl. Robert Murray Davis: „One of the more interesting and perhaps more fruitful tendencies in modern criticism is the displacement of the scholarly ‚influence study' (which seeks to demonstrate as objectively as possible the debt of one author to another) by the partly scholarly, partly critical discussion of trend, subgenre, or artistic method. The advantages of the latter approach are at least threefold: it can establish a case without straining evidence and overworking conjecture; it enables the critic to compare artists whose work cannot be connected by external evidence; and most important, it deals in more fundamental terms than does the influence study with the way in which the artistic process seems to work. An artist borrows methods not because he admires them per se, but because he wishes to solve a common artistic problem, to embody a similar vision." *(The Novel: Modern Essays in Criticism.* Englewood Cliffs 1969, S. 73)

3 Vgl. J. — F. Angelloz. *Rainer Maria Rilke*. Paris 1936.
K. A. J. Batterby. *Rilke and France*. London 1966.
Marga Bauer. *Rainer Maria Rilke und Frankreich*. Bern 1931.
Maurice Betz. *Rilke vivant*. Paris 1937.
Geneviève Bianquis. *La Poésie autrichienne de Hofmannsthal à Rilke*. Paris 1926.
C. M. Bowra. *The Heritage of Symbolism*. London 1962.
Adrien R. de Cléry. *Rainer Maria Rilke*. Paris 1958.
Charles Dédéyan, *Rilke et la France* 4 Bde. Paris 1961—63.
Emil Gasser. *Grundzüge der Lebensanschauung Rainer Maria Rilkes*.Bern 1925.
Hartmann Goertz. *Frankreich und das Erlebnis der Form im Werke Rainer Maria Rilkes*. Stuttgart 1932.
Dietrich Grossmann. *R. M. Rilke und der französische Symbolismus*. Jena 1938.
Edmond Jaloux. *Rainer Maria Rilke*. Paris 1937.
„Reconnaissance à Rilke", *Cahiers du moi* 1926.
Rilke et la France. Bruxelles 1943.
L. de Sugar. *Baudelaire et R. M. Rilke*. Paris 1954.
Karin Wais. *Studien zu Rilkes Valéry-Übertragungen*. Tübingen 1967.

4 "Gods, Heroes, and Rilke," in: *Hereditas*. Seven Essays on the Modern Experience of the Classical. Edited by Frederic Will. Austin 1964, S. 16.

5 *The Heritage of Symbolism*, S. 57. Vgl. Theodore Ziolkowski: "He was prepared to be a disciple in the temple of French culture, a worshipful pupil — Rilke

81

felt at home on his knees — of the symbolist heritage, of Baudelaire, of Mallarmé."
(*Dimensions of the Modern Novel*. German Texts and European Contexts. Princeton 1969, S. 16) Wenn Wolfgang Müller den Dichter in erster Linie als symbolistischen Theoretiker hinstellt: „Wie auch die Berührungspunkte mit Baudelaire erkennen ließen, nimmt Rilke in der Worpsweder Zeit theoretisch die Haltung eines Symbolisten ein, während er in seinem tatsächlichen Dichten noch weit von einem symbolistischen Verfahren entfernt ist.... ist Rilke auch in der Zeit der ‚Neuen Gedichte' theoretisch nicht weit von einer symbolistischen Weltsicht entfernt", dann wollen wie in der vorliegenden Abhandlung versuchen, die praktische Anwendung dieser theoretischen Erkenntnisse symbolistischer Natur in den *Aufzeichnungen* unter Beweis zu stellen. (*Rainer Maria Rilkes ‚Neue Gedichte'. Vielfältigkeit eines Gedichttypus*. Meisenheim 1971, S. 24, vgl. auch S. 31 und 32)

6 *Histoire du roman moderne*. Paris 1962, S. 147.

7 David Hayman: "The Broken Cranium — Headwounds in Zola, Rilke, Céline: A Study in Contrasting Modes," *Comparative Literature Studies*, IX (1972), S. 215.

8 *Symbolism*. London 1971, S. 58.

9 Vgl. Goertz: „Rilkes organisches, innerlich begründetes Wachstum entzieht sich dem harten und so oft vergewaltigten Begriff des Einflusses ganz, und wirklich Übernommenes gehört alsbald so unmittelbar zu seinen eigenen Erfahrungen, ja wurde wohl durch sie überhaupt erst gefunden, so daß Einheit und Selbständigkeit seines Werkes niemals nur von außen berührt oder unterbrochen werden konnten." (*Frankreich und das Erlebnis der Form im Werke Rainer Maria Rilkes*, S. 86) Vgl. auch Rilke: „Die Frage nach ‚Einflüssen' ist natürlich möglich und zulässig, und es mag Fälle geben, wo die Antwort die überraschendsten Aufschlüsse mit sich bringt; indessen, wie immer sie auch lautet, sie muß sofort wieder an jenes Leben, aus dem sie stammt, zurückgegeben werden und gewissermaßen aufs Neue in ihm aufgelöst." (*Briefe*. Hrg. Karl Altheim. Wiesbaden 1950, S. 861)

10 Manfred Durzak. *Der junge Stefan George*. München 1968, S. 87.

11 *Kritische Essays zur europäischen Literatur*. Bern 1950, S. 300.

12 Vgl. Ulrich Weisstein. *Einführung in die Vergleichende Literaturwissenschaft*. Stuttgart 1968, S. 95.

13 Vgl. Alfred Poizat: „Les decadents... ne regardaient plus les choses qu'à travers le miroir déformateur qu'était leur âme rêveuse." (*Le Symbolisme de Baudelaire à Claudel*. Paris 1919, S. 145) Vgl. auch Wylie Sypher, der Maurice Denis zitiert: „ ‚L'art au lieu d'être la copie devenait la déformation subjective de la nature.' " (*Rococo to Cubism in Art and Literature*. New York 1960, S. 130) Diese „déformation" der Kunst wird ebenso von Ortega y Gasset im Zusammenhang mit seiner These von der „deshumanización" der Kunst gefordert: „Lejos de ir el pintor más o menos torpemente hacia la realidad, se ve que ha ido contra ella. Se ha propuesto denodadamente deformarla, romper su aspecto humano, deshumanizarla." (*La Deshumanización del arte. Ideas sobre la novela*. Madrid 1925, S. 34) Audrücklich beruft sich Ortega y Gasset auf die Rolle Mallarmés bei der ‚Entmenschlichung' des Kunstschaffens: „El llanto y la risa son estéticamente fraudes. El gesto de la belleza no pasa nunca de la melancolía. Y, mejor aún, si no llega. ‚Toute maîtrise jette le froid.' (Mallarmé)."(*Ebd.*, S. 42) Dichtung bedeutet die konsequente Durchführung der Schöpfungsabsicht, die Hervorbringung des ästhetischen Gebildes in seiner rein immanenten Wesenhaftigkeit. Ziel des kreativen Aktes ist die Eliminierung des Ichs als Bewußtseinsinhalt: „Desaparecer, volatizarse y quedar convertido un una pura voz anónima... Esa pura voz anónima... es la voz del

poeta, que sabe aislarse de su hombre circundante." (*Ebd.*, S. 48—49) Unzweideutig klingt in diesen Worten das Schicksal Maltes an, der in der Parabel vom Verlorenen Sohn als Resultat seiner Deformation und Anverwandlung des Empirischen mit der anonymen Stimme des Man das Menschliche seines Daseins, d. h. die Zufälligkeiten der Existenz überwindet, also ‚entmenschlicht' wird.

14 Silvio Vietta: „Die idealistisch konzipierte absolute Sprache ist für die Erscheinungswelt vernichtend. Denn der Gegensatz von Natur und Sprache soll in die Sprache aufgehoben werden. Das aber gelingt nur, wenn das der Sprache gegensätzliche Moment, die Stofflichkeit der Natur, durch die Dialektik der Vernichtung purifiziert und so vergeistigt der Sprache wesensgleich wird." (*Sprache und Sprachreflexion in der modernen Lyrik*. Bad Homburg v. d. H. 1970, S. 51)

15 Marianne Kesting. *Entdeckung und Destruktion*. München 1970, S. 227. Vgl. Erich Kahler: „So führt der Weg von Mallarmé bis . . . Rilke selbst . . . zu einer Zerarbeitung, Zersetzung der täglichen Weltoberfläche, zu einer Entorganisierung, Disintegrierung der geläufigen Realität. So führt der Weg zu jener tragischen Entfremdung des Künstlers von seiner täglichen Umwelt und Mitwelt: Entfremdung von dem groben Gewebe der erscheinenden Stofflichkeit, die ihm in verwirrenden Vielsinn, in unerschöpfliche Tiefen, ins Nichts zergeht, die ihm durchscheinend und fadenscheinig wird und ihn in Schauder und Ekel zurückwirft." („Untergang und Übergang der epischen Kunstform", *Neue Rundschau*, LXIV (1953), S. 16)

16 *Briefe*, S. 732.

17 Rainer Maria Rilke. *Sämtliche Werke*. Bd. VI. Hrg. Ernst Zinn. Frankfurt 1966, S. 775. (Die Seitenzahlen im Text beziehen sich auf diesen Band)

18 *Protest und Verheißung*. Frankfurt 1963, S. 182.

19 Vgl. Fritz Martini. *Das Wagnis der Sprache*. Stuttgart 1954. In vieler Hinsicht schließen wir uns den Erkenntnissen des Verfassers an, der die *Aufzeichnungen* als „ein Suchen und Entwerfen zur Form hin; . . . ein Wagnis der Sprache in das Unbegrenzte hinein. . . . [ein] auf das Unerreichbare" interpretiert, ohne auf die poetologischen Voraussetzungen im französischen Symbolismus näher einzugehen. (S. 175)

20 *Entdeckung und Destruktion*, S. 15. Vgl. Eugenio Donatos Bemerkung zur allgemeinen Sachlage des Erzählerischen in der Moderne: „. . . it means placing Mallarmé and his literary enterprise at the heart of any attempt to alter all of our thinking about narrative," in: „The Shape of Fiction: Notes Toward a Possible Classification of Narrative Discourse," *Modern Language Notes*, LXXXVI (1971), S. 809. Vgl. Roland Barthes. „Introduction à l'analyse structurale des récits," *Communications*, no. 8 (1966), vor allem S. 27.

21 Léon Vanier, Hrg. *Les Premières armes du symbolisme*. Paris 1889, S. 33.

22 Vgl. Mallarmé: „Narrer, enseigner, même décrire, cela va et encore qu'à chacun suffirait peut-être, pour échanger toute pensée humaine, de prendre ou de mettre dans la main d'autrui en silence une pièce de monnaie, l'emploi élémentaire du discours dessert l'universel REPORTAGE dont, la Littérature exceptée, participe tout, entre les genres d'écrits contemporains." (*Oeuvres complètes*, Paris 1945, S. 368)

23 Vanier, S. 34.

24 Vgl. Ernst Zinn: „Der Ausspruch [von Delacroix: ‚La nature n'est qu'un dictionnaire'] wurde für ihn [Rilke] zu einer Formel für seine, seit dem Vortrag über ‚Moderne Lyrik' . . . entwickelte symbolistische Theorie über das Verhältnis des stofflichen ‚Vorwandes' zur künstlerischen Gestaltung; das Bild vom ‚dictionnaire'

und seinen ‚Vokabeln‘ . . .wirkt noch nach bis in den Brief an Witold Hulewicz vom 10. November 1925 aus Muzot über die ‚Aufzeichnungen des Malte Laurids Brigge.‘ " (Rilke. *Sämtliche Werke*. VI, S. 1283)

25 *Sämtliche Werke*. Bd. V. Hrg. Ernst Zinn. Frankfurt 1965, S. 365 — 66.

26 Vgl. Robert Champigny: „Le symbolisme est une tendance littéraire qui a pour but de rendre le symbolisé immanent au symbolisant. . . . Sans doute, [cette définition] ne fait rien d'autre qu'identifier le symbolisme à l'entreprise de purifier la poésie. . . . cette entreprise est ce qui, esthétiquement, différencie la période symboliste de toutes les autres." („Trois définitions du Symbolisme," in: "The Symbolist Movement," edited by Haskell M. Block, *Comparative Literature Studies*, IV (1967), S. 131) Vgl. auch Charles Baudelaire: „Qu'est-ce que l'art pur suivant la conception moderne? C'est créer une magie suggestive contenant à la fois l'objet et le sujet, le monde extérieur à l'artiste et l'artiste lui-même." (*Oeuvres complètes*. Paris 1961, S. 1099)

27 *Sämtliche Werke*, V, S. 515.

28 *Ebd.*, S. 513 — 14.

29 *Briefe*, S. 890 — 91.

30 Vanier, S. 39.

31 *Briefe*, S. 891.

32 *Ebd.*

33 Vanier, S. 33 — 34

34 Obwohl es bei der Definition von Moréas („ . . . à vêtir l'Idée d'une forme sensible . . .") um eine Feststellung handelt, die man irrtümlicherweise als Allegorie auslegen könnte, nämlich in dem Sinne, daß die Idee den Ausgangspunkt bildet, für die der Beobachter stoffliche Äquivalente in der Außenwelt sucht, bedingt obige Formulierung eigentlich nicht die Existenz einer vorgefaßten Idee und trifft deswegen im Prinzip durchaus auf das Wesen des ‚symbolisme‘ zu. (Vgl. Michel Otten in Albert Mockel. *Esthétique du Symbolisme*. Bruxelles 1962, u. a. S. 30 und 37) Im Grunde fordert Moréas die Unterordnung der Form unter die Idee, nicht als Trennung der beiden Aspekte, sondern als Aufgehen der Form in der Idee, der empirischen in der ideellen Realität.

35 *Zauber und Logik*. Köln 1964, S. 79.

36 *Histoire du roman moderne*, S. 138. Vgl. Gerda Zeltner-Neukomm. *Das Wagnis des französischen Gegenwartsromans*. Hamburg 1960, S. 21 — 22.

37 Vgl. Champigny: „Les innovations techniques que l'on trouve dans le roman . . . du XXe siècle ont leur source dans la poésie symboliste." („Trois définitions du Symbolisme," S. 131) Vgl. auch Ralph Freedman: "Although historically the language of French symbolism was developed as a lyrical language, many of its implications are revealed with particular clarity in prose." ("Symbol as Terminus: Some Notes on Symbolist Narrative," in: "The Symbolist Movement," *Comparative Literature Studies*, S. 135) Vgl. auch Kurt Weinberg: "It was Rimbaud and Mallarmé, not novelist but poets, who were among the first to challenge the traditional faith in communication, and to question the naive trust placed by the Naturalists in positivism, in scientific observation, in an objective reality which was supposed to remain intact even when perceived 'à travers un tempérament,' a physiological constitution (as suggested by Zola in 'Le Roman expérimental'). It is significant that Gide as well as Valéry, Claudel, and other prominent figures made their literary debuts in Mallarmé's 'salon.' The supposedly objective mirror of the novel shattered upon contact with the esoteric of Symbolism, just as the indivisibility

of the individual had been fatally affected by the Cartesian dualism of body and soul. Simultaneously, the very foundation of the novel of the individual — the art of literary portraits and character sketches inherited from the seventeenth century — breaks into a thousand splinters which mirror the fragmentary reflections of an irretrievably lost unity." (*On Gide's 'Prométhée.'* Private Myth and Public Mystification. Princeton 1972, S. 8 — 10)

38 Albérès. *Histoire du roman moderne*, S. 147, Vgl. auch Albérès: „Les délicats poètes symbolistes veulent en effet exprimer ce que le language est impuissant à dire. ... il s'agit tout simplement de la finesse et de la richesse des émotions et des sensations." (*Bilan littéraire du XXe siècle*. Paris 1956, S. 180)

39 Vgl. Maurice Betz: „Certaines [pages] étaient des lettres, d'autres des notes, des fragments de journal, des poèmes en prose." (*Rilke vivant*. Paris 1937, S. 124) Vgl. auch Albérès: „Forte évidente est l'influence du poème en prose, qui autorise l'écrivain à abandonner la tradition narrative et descriptive pour exprimer seulement une série d'émotions, de notations, d'événements fascinants et parfois illogiques." (*Histoire du roman moderne*, S. 147)

40 Albérès. *Histoire du roman moderne*, S. 148.

41 Vgl. Michel Raimond, der in seiner Diskussion von Prosawerken der symbolistischen Epoche die Entstehung des strukturellen Gefüges folgendermaßen deutet: „Elle [la technique du point de vue] conduit ... à remplacer l'ordre des événements par l'ordre dans lequel on les découvre." (*La Crise du Roman*. Des lendemains du Naturalisme aux années vingt." Paris 1966, S. 310)

42 Vanier, S. 39.

43 Vgl. Roland Barthes: ... la narration n'est pas forcément une loi du genre [romanesque] ... Le Récit ... reste le choix ou l'expression d'un moment historique." (*Le Degré zéro de l'écriture*. Paris 1953, S. 46)

44 Zitiert in: Paul Delsemme. *Un Théoricien du Symbolisme*. Paris 1958, S. 231.

45 *Oeuvres II*. Paris 1960, S. 548.

46 Michel Raimond, *Le Roman depuis la Révolution*. Paris 1969, S. 226.

47 Vgl. Marcel Cressot. *La Phrase et le vocabulaire de J. — F. Huysmans*. Paris 1938, S. 9.

48 *Nouvelle Revue Française*, IX (1913), S. 749 — 50.

49 *Ebd.*, S. 750.

50 *Ebd.*

51 *Ebd.*, S. 752.

52 *Ebd.*

53 Vgl. Kevin O'Neill. *André Gide and the 'Roman d'Aventure.'* Sydney 1969, vor allem S. 61 — 63.

54 „Le style est autant sous les mots que dans les mots. Il est autant l'âme que la chair d'une oeuvre." (*Correspondance IV*. Paris 1927, S. 215) Nachdrücklich verweist Moréas auf den Beitrag des französischen Romanciers zur Entwicklung der neuen Poetik, deren prinzipielle Merkmale sowohl Lyrik als auch Prosa umfassen. (Vgl. Vanier, S. 38) Vgl. auch Cecil Jenkins: „Flaubert ...brought about the decisive shift towards the complete 'illusion of reality' — towards the work of art as object or world-in-itself rather than the mere illustration of a world view — ..." ("Realism and Reality in the Novel," in: *French Literature and its Background: 5: The Late Nineteenth Century*. London 1969, S. 41) Vgl. weiterhin Werner P. Friedrich, der den Ursprung des symbolistischen Romans u. a. bei Flaubert sucht. (*Outline of Comparative Literature from Dante Alighieri to Eugene O'Neill*. Chapel Hill 1954, S.

421) Ebenso stempelt ein anonymer Rezensent in *The Times Literary Supplement* vom 12. April 1957 den Franzosen zu einem teilweisen theoretischen Wegbereiter des Symbolismus. (S. 217 — 19) (Vgl. dazu Donald L. Yelton. *Mimesis and Metaphor.* An Inquiry into the Genesis and Scope of Conrad's Symbolic Imagery. The Hague 1967, vor allem die Kapitel "Poetics of the Novel," S. 28 — 67 and „The Mantle of Flaubert," S. 88 — 120) Vgl. auch Frank Trommler. *Roman und Wirklichkeit.* Stuttgart 1966, insbesondere das Kapitel „Duell mit der Wirklichkeit: Flaubert oder mit neuen Augen," S. 30 — 49.

55 *Oeuvres complètes*, S. 691 u. 693.

56 *Oeuvres complètes*, S. 380.

57 „Ce qui me semble beau, ce que je voudrais faire, c'est un livre sur rien, un livre sans attache extérieur, qui se tiendrait de lui-même par la force interne de son style, comme la terre sans être soutenue se tient en l'air, un livre qui n'aurait presque pas de sujet où de moins ou le sujet serait presque invisible, si cela se peut. Les oeuvres les plus belles sont celles où il y a le moins de matières; plus l'expression se rapproche de la pensée, plus le mot colle dessus et disparaît, plus c'est beau. Je crois que l'avenir de l'Art est dans ces voies . . . . La forme, au devenant habile, s'atténue; elle quitte toute liturgie, toute règle, toute mesure; elle abandonne l'épique pour le roman, le vers pour la prose; elle ne connaît plus d'orthodoxie et est libre comme chaque volonté qui la produit. Cet affranchissement de la matérialité se retrouve en tout . . . C'est pour cela qu'il n'y a ni beaux ni vilains sujets et qu'on pourrait presque établir comme axiome, en se posant au point de vue de l'Art pur, qu'il n'y en a aucun, le style étant à lui tout seul une matière absolue de voir les choses. Il me faudrait tout un livre pour développer ce que je veux dire." (*Correspondance II.* Paris 1926, S. 345 — 46) Vgl. hierzu Mallarmé: ". . . une oeuvre dramatique montre la succession des extériorités de l'acte sans qu'aucun moment garde de réalité et qu'il se passe, en fin de compte, rien." (*Oeuvres complètes*, S. 296) Vgl. ferner Mallarmé in „Crise de Vers": „Décadente, Mystique, les Ecoles . . . adoptent, comme rencontre, le point d'un Idéalisme qui (pareillement aux fugues, aux sonates) comme brutale, une pensée exacte les ordonnant; pour ne garder de rien que la suggestion . . . Abolie, la prétention, esthétiquement une erreur, quoiqu'elle régit les chefs-d'oeuvres, d'incluire au papier subtil du volume autre chose que par exemple l'horreur de la forêt, ou le tonnerre muet épars au feuillage; non le bois intrinsèque et dense des arbres. Quelques jets de l'intime orgueil véridiquement trompetés éveillent l'architecture du palais, le seul habitable; hors de toute pierre, sur quoi les pages se refermeraient mal." (*Ebd.*, S. 365 — 66)

58 Vgl. Hermann Brochs Essay „Die Kunst und ihr Un-Stil am Ende des 19. Jahrhunderts: 2. Die Abkehr von der Dekoration", in: *Dichtung und Erkennen*. Essays. Bd. I. Zürich 1955, S. 51 — 66. In dem Sinne nimmt Rilke in seinen Cézanne-Briefen Bezug auf den symbolistischen Aspekt, der „so unbestechlich Seiendes auf seinen Farbeninhalt zusammenzog, daß es in einem Jenseits von Farbe eine neue Existenz, ohne frühere Erinnerung, anfing." (*Briefe*, S. 194) Cézannes ‚Ding' erscheint dem Dichter als ein Substratum der Farben, der Farbstoff selbst ist in der ‚réalisation' der reinen Idee, des Dinges-an-sich vertilgt worden: „Alle Mittel sind aufgegangen, aufgelöst im Gelingen: man meint, es seien überhaupt keine da." (*Ebd.*, S. 182) So verstanden liefert Cézannes Bemerkung, daß die Aufgabe der Kunst darin besteht, zu ‚repräsentieren' (‚représenter') und nicht einfach ‚wiederzugeben' (‚reproduire') eine grundsätzliche Definition des Symbolismus: " 'I wished to copy nature,' said Cézanne, 'I could not. But I was satisfied when I had discovered that the

sun, for instance, could not be reproduced, but that it must be represented by something else ... by colour.' There is the definition of Symbolism such as we understood it about 1890." (Maurice Denis: "Cézanne I, II," *The Burlington Magazine for Connoisseurs*, XVI (October 1909 to March 1910), S. 275; vgl. auch Maurice Denis. *Nouvelles théories sur l'art moderne, sur l'art sacré 1914 — 1921.* Paris 1922, S. 67 u. 175)

59 Broch. „Die Kunst und ihr Un-Stil am Ende des 19. Jahrhunderts: 2. Die Abkehr von der Dekoration", S. 57.

60 *Ebd.*, S. 59.

61 *Ebd.*

62 O'Neill, S. 63.

63 Paris 1889.

64 *Ebd.*, S. 297 u. 358. Vgl. Morice: „Que l'Analyse classique, pour étudier en eux-mêes les éléments de l'âme, l'Analyse romantique, pour étudier en eux-mêmes les éléments du sentiment, l'analyse naturaliste, pour étudier en eux-mêmes les éléments de la sensation, ont pu se contenter d'exprimer leur objet particulier tel qu'elles l'avaient dégagé de ses entours, mais que la Synthèse ne peut se localiser ni dans la pure psychologie passionnelle, ni dans la pure dramatisation sentimentale, ni dans la pure observation du monde tel que nous le voyons dans l'immédiat, pusqu'elle risquerait également dans les trois domaines de cesser d'être la Synthèse, de redevenir l'Analyse: d'où l'évidente nécessité de la Fiction symbolique, libérée aussi bien de la géographie que de l'histoire. ... La Synthèse rend à l'esprit sa patrie, réunit l'héritage, rappelle l'Art à la Vérité et aussi à la Beauté. La synthèse de l'Art, c'est: LE REVE JOYEUX DE LA VERITE BELLE." (*Ebd.*, S. 359)

65 Vgl. Morice: „La Suggestion peut ce que ne pourrait l'expression. La suggestion est le langage des correspondances et des affinités de l'âme et de la nature. Au lieu d'exprimer des choses leur reflet, elle penètre en elles et devient leur propre voix. ... c'est le caché, l'inexpliqué et l'inexprimable des choses qu'elle dit. ... Surtout, comme elle parle dans les choses dont elle parle, elle parle aussi dans les âmes auxquelles elle parle: comme le son, l'écho, elle éveille le sentiment de l'expression impossible ... La suggestion seule, ainsi, peut rendre par quelques lignes, l'entrecroisement perpétuel et la mêlée des détails auquels l'expression consacrerait des pages." (*Ebd.*, S. 378 — 79)

66 *Briefe*, S. 904.

67 *Oeuvres complètes*. Paris 1946, S. 272.

68 Vgl. Valéry: „ ,Mais, Degas, ce n'est point avec des idées que l'on fait des vers ... C'est avec des mots." (*Oeuvres II*, S. 1208)

69 Vgl. Rilkes Aufsätze „Der Wert des Monologes" und „Noch ein Wort über den ‚Wert des Monologes' ". (*Sämtliche Werke*, V, S. 434 — 42)

70 Vgl. Betz: „ ,Interrompant mon dialogue, je commençai d'écrire le journal de Malte lui-même ...' " (S. 121) Ein Vergleich der ersten und zweiten Fassung des Eingangs mit der endgültigen Version läßt erkennen, wie bei Rilke im Verlauf der Auseinandersetzung mit der Gestalt der *Aufzeichnungen* allmählich die Überzeugung heranreift, daß einzig die Ich-Form der Wesensverfassung eines Malte Laurids Brigge gerecht werden kann. (Vgl. *Sämtliche Werke*, VI, S. 949 — 66)

71 Vgl. dazu Rilke: „Er [Maeterlinck] leugnet ..., daß die Handlung im Stoff läge, in den äußerlichen Katastrophen und Abenteuern, mit denen die Höhepunkte unseres wirklichen inneren Lebens gar nicht mehr zusammenfallen. Er weist (...) nach, daß ... neben der äußeren Fabel, eine zweite, von dem sogenannten inneren

Dialog getragene Handlung vorhanden war, die aber nebensächlich schien und sich dem nicht aufdrängte, der sie nicht suchte." (*Sämtliche Werke*, V, S. 548)

72 *Oeuvres complètes*, S. 271

73 *Oeuvres complètes*, S. 378

74 Vgl. Mallarmé. *Correspondance II 1871 — 1885*. Hrg. Henri Mondor und Lloyd James Austin. Paris 1965, S. 303.

75 *Briefe und Tagebücher aus der Frühzeit 1899 bis 1902*. Hrg. Ruth Sieber-Rilke und Carl Sieber. Leipzig 1931, S. 233, 272 und 203.

76 Vgl. *Briefe*, S. 195 — 96.

77 Vgl. Erich Kahler. „Geistige Gestalt", in: Hermann Broch. *Gedichte*. Gesammelte Werke I. Zürich 1953, S. 18. Hinsichtlich des Sehens vgl. Robert Mühlher. „Rilke und Cézanne: Eine Studie über die künstlerische Methode des ,Einsehens' ". *Österreich in Geschichte und Literatur*, X (1966), S. 35 — 47. Vgl. ebenfalls Käte Hamburger. „Die phänomenologische Struktur der Dichtung Rilkes, " in: *Philosophie der Dichter*. Stuttgart 1966, S. 179 — 275, vor allem S. 181 — 212 (Jetzt auch in Käte Hamburger. *Rilke in neuer Sicht*. Stuttgart 1971, S. 83 — 158, vor allem S. 85 — 109)

78 *Oeuvres complètes*, S. 31; vgl. hierzu Batterby. *Rilke and France*, S. 122 ff.

79 Vgl. T. S. Eliot. *Selected Essays*. London 1953, S. 377.

80 *Impressions*. Troisième Série. Paris 1928, S. 114 — 15.

81 Gonzague de Reynold. *Charles Baudelaire*. Paris-Genève 1920, S. 331. Vgl. auch Rimbauds „Voyant"-Brief: „Je dis qu'il faut être voyant. Le poète se fait voyant ... Baudelaire est le premier voyant, roi des poètes, un vrai Dieu. ... Ainsi je travaille à me rendre voyant." (*Oeuvres complètes*, S. 254 — 57)

82 *Briefe*, S. 465.

83 Zitiert aus „Ursprünglicher Schluß der *Aufzeichnungen*: Tolstoj." (*Sämtliche Werke*, VI, S. 975)

84 Otto Stelzer. *Die Vorgeschichte der abstrakten Kunst*. München 1964, S. 180.

85 Betz, S. 117.

86 Vgl. André Ferran: „Le Voyant perçoit l'essence des choses. ... Il invente sans le savoir et sans le vouloir tandis que le Poète est un créateur conscient, qui a la volonté de communiquer ... les révélations du Voyant. Il devient par là un Artiste, c'est-à-dire l'être chargé et de reproduire ... les formes du rêve et les voix intérieures." (*L'Esthétique de Baudelaire*. Paris 1933, S. 358 — 59)

87 Vanier, S. 39.

88 Vgl. seine Autobiographie *Si le grain ne meurt*: „Quand je rouvre aujourd'hui mes *Cahiers d'André Walter*, leur ton jaculatoire m'exaspère. J'affectionnais en ce temps les mots qui laissent à l'imagination pleine licence, tels qu'incertain, infini, indicible — auxquels je faisais appel ... Les mots de ce genre, qui abandonent dans la langue allemande, lui donnaient à mes yeux un caractère particulièrement poétique. Je ne compris que beaucoup plus tard que le caractère propre de la langue française est de tendre à la précision." (Paris 1928, S. 246)

89 *Rainer Maria Rilke — Lou Andreas-Salomé Briefwechsel*. Hrg. Ernst Pfeiffer. Zürich 1952, S. 92.

90 Vanier, S. 34.

91 „Geistige Gestalt", S. 17 — 18.

92 Vgl. Fritz Strich: „Es ist eine Kunst der Beschwörung, der Magie. Denn die moderne Magie heißt eben: Suggestion." (*Der Dichter und die Zeit*. Bern 1947, S. 16 — 17) Vgl. auch das Baudelaire-Zitat in Anmerkung Nr. 26. Vgl. ferner Baudelaire:

„Manier savamment une langue, c'est pratiquer une espèce de sorcellerie évocatoire. C'est alors que la couleur parle, comme une voix profonde et vibrante. ... que le parfum provoque la pensée et le souvenir correspondants." (*Oeuvres complètes*, S. 650)

93 *Oeuvres complètes*, S. 869.

94 *Ebd.*, S. 368.

95 *Briefe aus den Jahren 1907 bis 1914.* Hrg. Ruth Sieber-Rilke und Carl Sieber. Leipzig 1939, S. 59.

96 *Correspondance I 1862 — 1871.* Hrg. Henri Mondor und Jean-Pierre Richard. Paris 1959, S. 137.

97 Betz, S. 117.

98 *Oeuvres complètes*, S. 857.

99 Vgl. Martini, der auf den suggerierenden Charakter des „kleinen grünen Buches" hinweist: „Schauend geht der Erzähler an das Buch heran ... ohne Aufschlüsselung des konkret Gemeinten, ... die gefühlhafte, im seelischen Ahnungsvermögen des Knaben aufgenommene Bedeutung ... diese einzigartige Fähigkeit, im Andeuten auszusparen, im Bestimmten ein Unbestimmtes zu geben. Die Darstellung eines Rätselhaft-Undurchsichtigen bleibt selbst verhüllend und gerade in pointierter Gegenwendung zu scheinbarer Genauigkeit der Nuancen ungenau. ... im flüchtigen Hinweis ..., der die Dinge nicht in die festen Konturen des Endgültigen zwingt." (*Das Wagnis der Sprache*, S. 155, 160 und 168) Martinis Ausdrucksweise entspricht den Grundsätzen symbolistischer Ästhetik, die im Andeuten verharrt, da das Wesenhafte selbst auf direktem Wege unfaßbar ist.

100 *Briefe*, S. 849.

101 *Ebd*, S. 808.

102 *Correspondance I 1862 — 1871*, S. 220.

103 *Ebd.*, S. 207 — 8.

104 *Oeuvres complètes*, S. 647.

105 *Briefe*, S. 151.

106 *Correspondance I 1862 — 1871*, S. 245.

107 *Oeuvres complètes*, S. 38.

108 *Briefe*, S. 527; vgl. Herbert Lindenberger: „Georg Trakl and Rimbaud: A Study in Influence and Development", *Comparative Literature*, X (1958), S. 26 und 35 (Vgl. dazu Herbert Lindenberger. *Georg Trakl.* New York 1971, S. 63)

109 Vgl. Anmerkung Nr. 31. Vgl. auch Théodule Ribot: „Cet état où la sensation se dissout dans l'émotion, où l'artiste revêt les choses de sa propre couleur affective, est devenue habituel, constant dans la forme d'art aujourd'hui désignée par le nom de symbolisme." (*La logique des sentiments.* Paris 1905, S. 163)

110 *Briefe*, S. 527.

111 Vgl. Svend Johansen: „En premier lieu, la tonalité prépoétique qui est purement émotionelle et qui ... ne constitue que l'énergie potentielle." (*Le Symbolisme.* Kopenhagen 1954, S. 12)

112 *Briefe*, S. 890.

113 *Briefe aus den Jahren 1907 bis 1914*, S. 99.

114 Vgl. Chadwick. *Symbolism*, S. 14.

115 Wenn Gerda Zeltner-Neukomm von einer „Krise der Einbildungskraft" spricht, (*Das Wagnis des französischen Gegenwartsromans*, S. 20 — 22) und zwar im Zusammenhang mit den Auswirkungen des französischen Symbolismus, so hat das nur eine relative Gültigkeit. Sicherlich trifft es zu, daß bei Anbruch der Moderne die

Fähigkeit, eine logisch zusammenhängende Erzählhandlung zu gestalten, abhanden gekommen ist. Andererseits ändert diese Entwicklung nichts an der Tatsache, daß selbst das revolutionärste Romanwerk dem Einbildungsvermögen des Ichs entspringt. Folglich ist nicht so sehr die Tätigkeit der Einbildung als solche in Frage gestellt, sondern vielmehr die Art und Weise ihrer Anwendung. An die Stelle einer traditionellen Fiktion tritt die Deformation der Wirklichkeit, wohlgemerkt aufgrund der einbildenden Aktivität des Bewußtseins, was eher einer Ver-bildung der Außenwelt gleichkommt, ein Vorgang, der seinerseits aber den grundlegenden Charakter der Ein-bildung bewahrt.

116 Vgl. *Oeuvres complètes*, S. 1036 – 45.

117 *Ebd.*, S. 1037 – 38.

118 Vgl. Rilke: „Vokabeln seiner Not", in: *Briefe*, S. 891; „Früchte der Tröstung", in: „Die Sonette an Orpheus", 2. Teil, Nr. XVII, *Sämtliche Werke*, I. Hrg. Ernst Zinn. Frankfurt 1955, S. 762.

119 Vgl. *Stephen Hero*. New York 1944. Vgl. auch Theodore Ziolkowski: „James Joyces Epiphanie und die Überwindung der empirischen Welt in der modernen deutschen Prosa", *Deutsche Vierteljahrsschrift für Literaturwissenschaft und Geistesgeschichte*, XXXV (1961), S. 594 – 616.

120 "Joyce's Epiphanies", *Sewanee Review*, LIV (1946), S. 461.

121 Hans Berendt. „Rainer Maria Rilke. Zu den ‚Aufzeichnungen des Malte Laurids Brigge'. Referat – Diskussion", *Mitteilungen der literar.-historischen Gesellschaft Bonn*, Jg. VI, Nr. 4 (1911), S. 90.

122 Die folgenden Begriffe stammen aus Willi Bühler. *Die ‚erlebte Rede' im englischen Roman in ihren Vorstufen und in ihrer Ausbildung im Werke Jane Austens*. Bern 1936, S. 153 ff.

123 *Stephen Hero*, S. 213.

124 *Ebd.* Im Gegensatz zu Theodore Ziolkowski (vgl. „James Joyces Epiphanie und die Überwindung der empirischen Welt in der modernen deutschen Prosa") wollen wir für unsere Bedürfnisse den Begriff der Epiphanie nicht nur auf die gegenwärtige Wirklichkeit anwenden, sondern das Konzept ebenfalls als Resultat einer Erinnerung bzw. Heraufbeschwörung ansehen.

125 *Rilke – Lou Andreas-Salomé Briefwechsel*, S. 458.

126 Vgl. *Oeuvres complètes,* S. 380. Vgl. auch Ralph Freedman: "For Rilke, as for Mallarmé, the heard melody is the artist's song turned into an 'objective' vision only when it is unheard." ("Gods, Heroes, and Rilke," S. 16)

127 *Briefe*, S. 891.

128 Vgl. Roland Barthes. „Littérature et méta-langage," in: *Essais critiques*. Paris 1964, S. 106 – 7. Vgl. auch Barthes' Begriff der „écriture au degré zéro" in *Le Degré zéro de l'écriture*: „. . . l'écriture au degré zéro est au fond une écriture indicative . . . elle est faite précisément de leur absence; . . . Cette parole transparente . . . accomplit un style de l'absence qui est presque une absence idéale du style; l'écriture se réduit alors à une sorte de mode négatif . . . au profit d'un état neutre et inerte de la forme." (S. 109 – 10)

129 *Oeuvres complètes*, S. 368.

130 *Rainer Maria Rilke et Merline Correspondance 1920 – 1926*. Hrg. Dieter Bassermann. Zürich 1954, S. 118.

131 *Briefe aus Muzot 1921 – 1926*. Hrg. Ruth Sieber-Rilke und Carl Sieber. Leipzig 1935, S. 19.

132 *Rilke – Merline Correspondance*, S. 118.

133 *Oeuvres complètes*, S. 474 — 77.

134 *Ebd.*, S. 387.

135 *Ebd.*, S. 366.

136 Tagebucheintragung Rilkes. Zitiert nach Eva Cassirer-Solmitz. *Das Stunden-buch. Die Aufzeichnungen des Malte Laurids Brigge. Die Duineser Elegien. Die Götter bei Rilke.* Heidelberg 1957, S. 2.

137 *Correspondance I 1862 — 1871*, S. 242.

138 Zitiert nach Maurice Blanchot. *L'Espace littéraire.* Paris 1955, S. 40.

139 *Briefe und Tagebücher aus der Frühzeit 1899 bis 1902*, S. 160.

140 Hugo Friedrich. *Die Struktur der modernen Lyrik.* Hamburg 1956, S. 17.

141 *Oeuvres complètes*, S. 860.

142 *Rainer Maria Rilke — Katharina Kippenberg Briefwechsel.* Hrg. Bettina von Bomhard. Wiesbaden 1954, S. 570.

143 Hermann Broch. *Der Tod des Vergil.* München 1968, S. 467.

144 Mallarmé. *Correspondance I 1862 — 1871*, S. 234.

145 *Tagebücher aus der Frühzeit.* Hrg. Ruth Sieber-Rilke und Carl Sieber. Leipzig 1942, S. 139.

146 Vgl. Guy Michaud: „Le thème du miroir dans le symbolisme français", *Cahiers de l'Association Internationale des Etudes Francçises*, XI (1959), S. 212. Vgl. Martini: „Diese Aufzeichnungen werden der Spiegel, in dem es [das Ich] sein eigenes Bemühen erfährt. . . . Das Buch ist Spiegel und damit Entzug vom wirklichen, in sich ganzen Leben . . ." (*Das Wagnis der Sprache*, S. 144 und 161)

147 Michaud, „Le thème du miroir dans le symbolisme français," S. 209.

148 *Rilke — Lou Andreas-Salomé Briefwechsel*, S. 103.

149 Vgl. Mallarmés Prosagedicht „Le Démon de l'analogie", in dem die Spiegelung der Hand des Dichters in einer Schaufensterscheibe eine maßgebliche Rolle spielt. (Vgl. dazu Werner Vordtriede. „The Mirror as Symbol and Theme in the Works of Stéphane Mallarmé and Stefan George", *Modern Language Forum*, XXXII (1947), S. 17)

150 *Sämtliche Werke*, VI, S. 1092.

151 *Oeuvres complètes*, S. 483.

152 „Le roman d'aventure," *Nouvelle Revue Française*, X (1913), S. 56.

153 Vgl. Michaud: „Ce n'est pas par hasard que le mythe de Narcisse a hanté les poètes symbolistes de Mallarmé à Gide, à Valéry et à Jean Royère. . . . si, tour à tour, ils s'identifient à Narcisse, c'est . . . pour tenter de saisir et de fixer, au-delà des formes fugitives, leur propre essence." („Le thème du miroir dans le symbolisme français," S. 206)

154 Vgl. Michaud: „. . . le monde extérieur qui est le miroir de l'âme humaine, ce sont les yeux humains qui sont le miroir de la surnature, du monde idéal. Le miroir est en quelque sorte retourné . . ." („Symbolique et Symbolisme", *Cahiers de l'Association Internationale des Etudes Françaises*, VI (1954), S. 91) Vgl. auch Georges Vanor: „La relation existant entre le monde physique et le monde moral s'établira entre le monde moral et le monde surnaturel; l'esprit de l'homme, c'est-à-dire le monde intelligible, sera comme un écran de verre tranparent entre ces deux miroirs, et, la nature étant l'image de l'homme, l'homme sera l'image de Dieu, et, nous ajoutons: sa preuve." (Zitiert nach Guy Michaud: *Message poétique du symbolisme*. Paris 1947, S. 746 (Vgl. dazu Michaud in „Symbolique et Symbolisme", S. 92)

155 Vgl. Else Buddeberg. „Spiegel-Symbolik und Problem-Person bei Rainer

Maria Rilke," *Deutsche Vierteljahrsschrift für Literaturwissenschaft und Geistesge-schichte*, XXIV (1950), S. 360—86.

156 Vgl. Rémy de Gourmont.: „La seule excuse qu'un homme ait d'écrire, c'est de s'écrire lui-même, de dévoiler aux autres la sorte du monde qui se mire en son miroir individuel." (*Le Livre des masques.* Paris 1921, S. 13)

157 „The Mirror as Symbol and Theme in the Works of Stéphane Mallarmé and Stefan George." S. 17.

158 *Ebd.*, S. 16.

159 *Oeuvres complètes*, S. 439 − 40.

160 Vgl. Oleg A. Maslenikov: "Could not ... this preoccupation of the symbolist writers with the mirror reflection be connected with an urge to turn back their mode of thinking and thus be permitted to reclaim their souls which nineteenth-century science seemed to destroy? " ("Russian Symbolists': The Mirror Theme and Allied Motifs", *The Russian Review*, XVI (1957), S. 50)

161 *Oeuvres complètes*, S. 375.

162 Helmut Motekat. *Experiment und Tradition.* Frankfurt 1962, S. 48.

163 *Romans. Récits et soties. Oeuvres lyriques.* Paris 1958, S. 7.

164 Zitiert nach Michaud. „Le thème du miroir dans le symbolisme français", S. 209.

165 *Oeuvres complètes*, S. 61.

166 Blanchot. *L'Espace littéraire*, S. 33 − 48.

167 Vgl. Georges Poulet: „ ... nous n'avons qu'un moyen de ne plus être livrés au néant ni au hasard. Ce moyen unique, cet acte unique, c'est la mort. La mort volontaire. Par lui, nous nous abolissons, mais par lui aussi nous nous fondons. Dans le moment où nous nous donnons la mort, nous nous donnons aussi la vie. Notre existence propre ne peut consister que dans un acte qui dure un moment. Un acte de suicide." (*La Distance intérieure.* Paris 1952, S. 325) Vgl. James Joyce, der zwischen der „lyrischen", „epischen" und „dramatischen" Aussageweise unterscheidet. Letzte-re definiert er wie folgt:: „The dramatic form is reached when the vitality which has flowed and eddied round each person fills every person with such vital force that he or she assumes a proper and intangible esthetic life. The personality of the artist, at first a cry or a cadence or a mood and then a fluid and lambent narrative, finally refines itself out of existence, impersonalises itself, so to speak. The esthetic image in the dramatic form is life purified in and reprojected from the human imagination. The mystery of esthetic like that of material creation is accomplshed. The artist, like the God of the creation, remains within or behind or beyond or above his handiwork, invisible, refined out of existence ..." (*A Portrait of the Artist as a Young Man.* New York 1961, S. 213 − 15) Vgl. auch Emil Staiger, der darauf hinweist, daß der Tod für Mallarmé eine purifizierende Funktion ausübt: „Der Tod hat eine reinigende Macht. ... Tod ist höchstes Künstlertum. Was noch als Kunst in Frage kommt, das muß den Tod erfahren haben." (*Die Kunst der Interpretation.* Zürich 1955, S. 253) Vgl. hierzu Mallarmés *Hérodiade*, worin das Erlöschen des Lebendig-Unmittelbaren einen gleichen dichterischen Zweck erfüllt. Vgl. ferner Christoph Geiser, der den Tod des Gefühlsmenschen in Thomas Manns *Tonio Kröger* als symbolistisches Merkmal dieser Novelle herausarbeitet. (*Naturalismus und Symbolismus im Frühwerk Thomas Manns.* Bern und München 1971, S. 38 − 46).

168 Vgl. Rilke: „Das Faßliche entgeht ... und es entsteht eine Namenlosigkeit, die wieder bei Gott beginnen muß, um vollkommen und ohne Ausrede zu sein. ... die Eigenschaften ... fallen zurück an die Schöpfung, an Liebe und Tod ..." (*Briefe*,

S. 819 — 20)

169 *Briefe 1907 bis 1914*, S. 206.

170 *Rilke — Lou Andreas-Salomé Briefwechsel*, S. 636.

171 Vgl. Rilke: „Il faut apprendre à mourir: voilà toute la vie. De préparer de loin le chef-d'oeuvre d'une mort fière et suprême, d'une mort où le hassard n'est pour rien, d'une mort bien faite, bien heureuse, enthousiaste comme les saints ont su la former, d'une mort mûrie longuement, qui efface elle-même son nom odieux, n'étant qu'un geste qui rend à l'univers anonyme les lois reconnues et sauvées d'une vie intensément accomplie." (*Briefe*, S. 215)

172 *Oeuvres complètes*, S. 434.

173 Guy Michaud. *Mallarmé*. L'homme et l'oeuvre. Paris 1953, S. 79.

174 Vgl. Mallarmé: „C'est un conte, par lequel je veux terrasser le vieux monstre de l'Impuissance, son sujet, afin de me cloîtrer dans mon grand labeur déjà réétudié. S'il est fait (le conte), je suis guéri: simila similibus." (*Correspondance I 1862 — 1871*, S. 313)

175 *Oeuvres complètes*, S. 435.

176 *Ebd.*, S. 434.

177 *Briefe*, S. 808.

178 *Oeuvres complètes*, S. 387.

179 *Ebd.*, S. 434.

180 *Ebd.*, S. 435.

181 *Correspondance I 1862 — 1871*, S. 301.

182 Keinesfalls handelt es sich bei dem Schluß der *Aufzeichnungen* um eine „Rückkehr in den Sozialbereich", wie Walter Seifert behauptet. (*Das epische Werk Rainer Maria Rilkes*, S. 322)

183 Vgl. Rilke: „Das Geschlecht der Prinzen der Baux ... leitete sich von König Balthasar her, einem der drei Könige aus dem Morgenland, und führte in seinem Wappen den Stern, der über der Krippe von Bethlehem stand. Nun hatte dieser Stern sechzehn Strahlen in der ins Wappen aufgenommenen Gestalt. Den sehr abergläubischen Herren galt aber sechzehn als Unglückszahl, sie kämpften gegen diese ‚Sechzehn' mit der Glückszahl ‚Sieben', indem die Anzahl ihrer Besitze sieben oder ein Vielfaches von sieben ausmachte." (*Rainer Maria Rilke — Ida Junghanns Briefwechsel*. Hrg. Wolfgang Herwig. Wiesbaden 1959, S. 50)

184 *Oeuvres complètes*, S. 68 — 69. Vgl. Gardner Davies. *Vers une explication rationelle du COUP DE DES*. Essai d'exégèse mallarméenne. Paris 1953, S. 161 — 63.

185 *Oeuvres complètes*, S. 477.

186 Vgl. Mallarmé: „Vous n'êtes point sans avoir entendu parler des Rishis, sept sages qu'on supposait habiter les sept étoiles de la constellation que nous appelons la Grande Ourse." (*Ebd.*, S. 1173) Vgl. auch seinen Brief an Henri Cazalis vom 18. Juli 1868, in dem von der „réflexion, stellaire et incompréhensible, de la grande Ourse, qui relie au ciel seul ce logis abandonné du monde" die Rede ist. (*Correspondance I 1862 — 1871*, S. 279)

187 Michaud. *Mallarmé*, S. 179.

188 *Rainer Maria Rilke und Marie von Thurn und Taxis Briefwechsel*. Hrg. Ernst Zinn. Bd. I. Zürich 1951, S. 417.

189 *Oeuvres complètes*, S. 434.

190 Vgl. Thomas A. Williams. *Mallarmé and the Language of Mysticism*. Athens (Georgia) 1970, S. 82 — 91.

191 Vgl. Mallarmé in „Prose (pour des Esseintes"): „HYPERBOLE! de ma

mémoire triomphalement ne sais-tu te lever, aujourd'hui grimoire dans un livre de fer vêtu: . . ." (*Oeuvres complètes*, S. 55)

192 *Sämtliche Werke*, V, S. 426 — 27.

193 *Oeuvres complètes*, S. 434.

194 *Oeuvres I*. Paris 1957, S. 624—25.

195 *Ebd.*, S. 62

196 *Oeuvres complètes*, S. 441.

197 Vgl. den englischen Ausdruck ,on the two horns of a dilemma' — ,in einer Zwickmühle.' (Vgl. dazu A.R. Chisholm. *Mallarmé's Grand Oeuvre*. Manchester 1962, S. 88—89; vgl. auch A. R. Chisholm. ,,Mallarmé's Edens — II: III. Hérodiade and a Poetic Absolute; IV. Towards the ,Grand Oeuvre'," AUMLA (Journal of the Australasian Universities Language and Literature Association), XIV (1960), S. 17)

198 Vgl. Mallarmé: ,,J'avais à la faveur d'une grande sensibilité, compris la corrélation intime de la Poésie avec l'Univers, et, pour qu'elle fût pure, conçu le dessin de la sortir du Rêve et du Hasard et de la juxtaposer à la conception de l'Univers." (*Correspondance I 1862—1871*, S. 259)

199 Vgl. Josef Theisen. ,,Endzeit des Buches? Betrachtungen zu Mallarmés ,Livre'," *Die Neueren Sprachen*, N. F., XVIII (1969), S. 365—72.

200 Kesting. *Entdeckung und Destruktion*, S. 118 und 335.

201 Walter Pabst. *Der moderne französische Roman*. Berlin 1968, S. 17; Kurt Weinberg. ,,André Gide: ,Le Prométhée mal enchaîné'," *ebd.*, S. 77 und 78.

202 Winfried Engler. *Der französische Roman von 1800 bis zur Gegenwart*. Bern und München 1965, S. 5.

203 Vgl. Ulrich Fülleborn. ,,Form und Sinn der ,Aufzeichnungen des Malte Laurids Brigge': Rilkes Prosabuch und der moderne Roman", in: *Unterscheidung und Bewahrung;*. Kunisch-Festschrift. Hrg. Klaus Lazarwicz und Wolfgang Kron. Berlin 1961, S. 153.

204 Michaud. *Message poétique du symbolisme*, S. 785.

205 Northrop Frye. *Anatomy of Criticism*. Princeton 1957, S. 80.

206 *Das epische Werk Rainer Maria Rilkes*, S. 250 und 319.

207 ,,Zum dichterischen Verfahren in Rilkes ,Aufzeichnungen des Malte Laurids Brigge'", *Deutsche Vierteljahrsschrift für Literaturwissenschaft und Geistesgeschichte*, XLII (1968), S. 228—30.

208 *Ebd.*, S. 230.

209 *Das epische Werk Rainer Maria Rilkes*, S. 318.

210 *Dimensions of the Modern Novel*. S. 31.

211 Bodo Bleinagel. *Absolute Prosa*. Bonn 1969, S. 100.

212 Betz, S. 113.

213 *Ebd.*

214 *Ebd.*

215 Vgl. Joseph Frank: ,,Instead of the instinctive and immediate reference of words and word-groups to the objects or events they symbolize, and the construction of meaning from the sequence of these references, modern poetry asks its readers to suspend the process of individual reference temporarily until the entire pattern of internal references can be apprehended as a unity . . . the conception of poetic form that runs through Mallarmé . . . can be formulated only in terms of the principle of reflexive reference. And this principle is the link connecting the esthetic development of modern poetry with similar experiments in the modern novel. . . . For the duration of the scene, at least, the time-flow of the narrative is halted: attention is

fixed on the interplay of relationships within the limited time-area. These relationships are juxtaposed independently of the progress of the narrative; and the full significance of the scene is given only by the reflexive relations among the units of meaning." ("Spatial Form in Modern Literature", *Sewanee Review*, LIII (1945), S. 229—31)

216 Vgl. Karl Uitti: „Symbolist . . . deformation can only be understood in terms of a tension of paradox born of Self-fragmentation opposed to faith in Self-unity . . . Whereas strong currents in the psychology of the time tended to follow Taine's lead in emphasizing the fragmentation of the Self in the context of temporally situated experience, the Symbolist novel accentuates the Self's basic unity . . . Isolated imagination, a unity . . . is therefore more important that the more obscure doctrine of fragmentary personality . . ." (*The Concept of Self in the Symbolist Novel.* The Hague 1961, S. 57—59)

217 Vgl. u. a. Hoffmann, „Zum dichterischen Verfahren in Rilkes ‚Aufzeichnungen des Malte Laurids Brigge'", S. 230.

218 *Correspondance II 1871—1885*, S. 302.

219 *Sämtliche Werke*, V, S. 163—64.

220 *Rilke — Lou Andreas-Salomé Briefwechsel*, S. 103—4.

221 *Oeuvres complètes.* Bd. VII. Paris 1929, S. 301—2. Vgl. Gide: „Dépouiller le roman de tous les éléments qui n'appartiennent pas spécifiquement au roman. De même que la photographie, naguère, débarrassa la peinture du souci de certaines exactitudes, le photographe nettoiera sans doute demain le roman de ses dialogues rapportés, dont le réaliste souvent se fait gloire. Les événements extérieurs, les accidents, les traumatismes, appartiennent au cinéma; il sied que le roman les lui laisse. Même la description des personnages ne me paraît point appartenir proprement au genre. Oui, vraiment, il ne me paraît pas que le roman pur (et en art, comme partout, la pureté seule m'importe) ait à s'en occuper." (*Romans. Récits et soties. Oeuvres lyriques*, S. 990)

222 *Das deutsche Prosagedicht.* München 1970, S. 59. Im Gegensatz zu Fülleborn, der das Prosagedicht bis ins 18. Jahrhundert zurückverfolgt, fassen wir das ‚poème en prose' als typischen Ausdruck der Moderne auf.

223 *Ebd.*, S. 10.

224 *Ebd.*, S. 58.

225 *Le Poème en prose de Baudelaire jusqu'à nos jours.* Paris 1959, S. 444.

226 Vgl. Fülleborn, der den *Aufzeichnungen* die „Dekomposition und gleichzeitige Rekomposition" abspricht. („Form und Sinn der ‚Aufzeichnungen des Malte Laurids Brigge': Rilkes Prosabuch und der moderne Roman", S. 153. (Vgl. dazu Armand Nivelle. „Zur Erneuerung des Romans am Anfang des 20. Jahrhunderts", in: *Deutsche Weltliteratur. Von Goethe bis Ingeborg Bachmann.* Hrg. Klaus W. Jonas. Tübingen 1972, S. 148—57)

227 Vgl. Maurice Blanchot. *Le Livre à venir.* Paris 1959, S. 293. Vgl. auch Leo Pollmann: „Die Wirklichkeit, der sich der Roman . . . verpflichtet fühlt, ist eben im letzten eine andere als die der gelebten Strukturen, sie ist Wirklichkeit als Totalität und d. h. Wirklichkeit als etwas aller Strukturierung und Vereinzelung Vorausliegendes." (*Der Neue Roman in Frankreich und Lateinamerika.* Stuttgart 1968, S. 31)

228 *Sämtliche Werke.* Bd. II. Hrg. Ernst Zinn. Frankfurt 1957, S. 246.

LITERATURVERZEICHNIS

AARSLEFF, Hans. „Rilke, Hermann Bang, and Malte." *Proceedings of the IVth Congress of the International Comparative Literature Association.* The Hague and Paris 1966, S. 628—36.

ADAMS, Robert M. NIL. Episodes in the Literary Conquest of Void during the Nineteenth Century. New York 1966.

ADORNO, Theodor W. *Noten zur Literatur.* 3 Bde. Frankfurt 1961—65.

AHEARN, Edward J. „The Search for Community: The City in Hölderlin, Wordsworth, and Baudelaire." *Texas Studies in Literature and Language,* XIII (Spring 1971), S. 71—89.

AJALBERT, Jean. *Mémoirs en vrac.* Au temps du symbolisme 1880—1890. Paris 1938.

ALBERES, R.-M. *L'Aventure intellectuelle du XXe siècle 1900—1950.* Paris 1950.

—,—. *Bilan littéraire du XXe siècle.* Paris 1956.

—,—. *Histoire du roman moderne.* Paris 1962.

—,—. *Portrait de notre héros.* Essais sur le roman actuel. Paris 1945.

ALBOUY, Pierre. *Mythes et mythologies dans la littérature française.* Paris 1969.

ALLEMANN, Beda. „Dichter über Dichtung." in: *Definitionen.* Essays zur Literatur. Hrg. Adolf Frisé. Frankfurt 1963, S. 9—34.

—,—. „Rilke und Mallarmé: Entwicklung einer Grundfrage der symbolistischen Poetik", in: *Wort und Gestalt.* Hrg. K. Rüdinger. München 1962, S. 81—100. (Jetzt in: Käte Hamburger. *Rilke in neuer Sicht.* Stuttgart 1971, S. 63—82)

—,—.. „Le symbole chez les préromantiques allemands", in: *Le Symbole.* Recherches et débats du centre catholique des intellectuels français. Nouvelle série no. 29. Paris 1959, S. 112—19.

—,—. *Zeit und Figur beim späten Rilke.* Pfullingen 1961.

ANDELSON, Robert V. „The Concept of Creativity in the Thought of Rilke and Berdyaev", *The Personalist,* XIIIL (1962), S. 226—32.

ANDREAS-SALOME, Lou. *Rainer Maria Rilke.* Leipzig 1928.

ANGELLOZ, J. F. *Rainer Maria Rilke: L'Evolution spirituelle du poète.* Paris 1936.

ANSTETT, Jean-Jacques. „André Gide et Rainer Maria Rilke", in: *Dialog.* Literatur und Literaturwissenschaft im Zeichen deutsch-französischer Begegnung. Festgabe für Josef Kunz. Hrg. Rainer Schönhaar. Berlin 1973, S. 164—83.

ARNTZEN, Helmut. *Der moderne deutsche Roman.* Heidelberg 1962.

AUSTIN, Lloyd J. „Mallarmé et le réel", in: *Modern Miscellany.* Edited by T. E. Lawrenson, F. E. Sutcliffe, G. F. A. Gadoffre. Manchester 1969, S. 12—24.

—,—. *L'Univers poétique de Baudelaire.* Paris 1956.

BAHR, Hermann. *Zur Überwindung des Naturalismus.* Stuttgart 1968.

BAILLOT, A. *Influence de la philosophie de Schopenhauer en France.* Paris 1927.

BALAKIAN, Anna. „The International Character of Symbolism", *Mosaic,* II, 4 (1968—69), S. 1—8.

—,—. *The Symbolist Movement.* A Critical Appraisal. New York 1968.

BARRE, André. *Le Symbolisme.* Paris 1911.

BARTHES, Roland. *Le degré zéro de l'écriture.* Paris 1953.

—,—. *Essais critiques.* Paris 1964.

—,—. „Introduction à l'analyse structurale des récits," *Communications*, no. 8 (1966), S. 1—27.

BARZUN, Jacques. *Classic, Romantic and Modern*. Boston-Toronto 1961.

—,—. *Romanticism and the Modern Ego*. Boston 1943.

BASSERMANN, Dieter. *Der andere Rilke* . Gesammelte Schriften aus dem Nachlaß. Hrg. Hermann Mörchen. Bad Homburg v. d. H. 1961.

—,—. *Am Rande des Unsagbaren*. Neue Rilke-Aufsätze. Berlin und Buxtehude 1948.

—,—. *Der späte Rilke*. Essen und Freiburg 1948.

BATTERBY, K. A. J. *Rilke and France* . London 1966.

BATTISTESSA, Angel J. *Rainer María Rilke* . Itinerario y estilo. Buenos Aires 1950.

BAUDELAIRE, Charles. *Oeuvres complètes*. Paris 1961.

BAUDOIN, Charles. *Le Symbole chez Verhaeren*. Genève 1924.

BAUER, Arnold. *Rainer Maria Rilke*. Berlin 1970.

—,—. Marga. *Rainer Maria Rilke und Frankreich*. Bern 1931.

BAYS, Gwendolyn. *The Orphic Vision*. Seer Poets from Novalis to Rimbaud. Lincoln 1964.

BEACH, Joseph W. *The Twentieth Century Novel: Studies in Technique*. New York 1932.

BEEBE, Maurice: *Ivory Towers and Sacred Founts*. The Artist as Hero in Fiction from Goethe to Joyce. New York 1964.

—,—. ed. *Literary Symbolism*. San Francisco 1960.

BÉGUIN, Albert. *Le Romantisme et le rêve*. 2 Bde. Paris 1946.

BEJA, Morris. *Epiphany in the Modern Novel*. Seattle 1971.

BELMORE, H. W. *Rilke's Craftsmanship*. Oxford 1954.

BENN, Gottfried. „Probleme der Lyrik", in: *Essays, Reden, Vorträge*. Gesammelte Werke in vier Bänden. Hrg. Dieter Wellershoff. Bd. I. Wiesbaden 1959, S. 494—532.

BENNETT, Joseph D. *Baudelaire*. Princeton-London 1944.

BERENDT, Hans. „Rainer Maria Rilke. Zu den ‚Aufzeichnungen des Malte Laurids Brigge'. Referat-Diskussion. " *Mitteilungen der literar.-hist. Gesellschaft Bonn* . Jg. 6, Nr. 4 (1911), S. 77—104.

BERGER, Kurt. *Rainer Maria Rilkes frühe Lyrik* . Entwicklungsgeschichtliche Analyse der dichterischen Form. Marburg 1931.

BERNARD, Suzanne. *Le Poème en prose de Baudelaire jusqu'à nos jours*. Paris 1959.

BERTOCCI, Angelo. *From Symbolism to Baudelaire*. Carbondale 1964.

BETHKE, Frederick J. „Rilke's ‚Malte Laurids Brigge' as Prose Poetry", *Kentucky Foreign Language Quarterly*, XII (1965), S. 73—82.

BETZ, Maurice. *Rilke vivant*. Paris 1937.

BIANQUIS, Geneviève. *La Poésie autrichienne de Hofmannsthal à Rilke*. Paris 1926.

BLANCHOT, Maurice. *L'Espace littéraire*. Paris 1955.

—,—. *Le Livre à venir*. Paris 1959.

—,—. „Plus loin que le degré zéro", *Nouvelle Revue Française* (September 1953), S. 485—94.

BLEINAGEL, Bodo. *Absolute Prosa*. Bonn 1969.

BLIN, Georges. *Baudelaire*. 1939.

BLOCK, Haskell M. *Mallarmé and the Symbolist Drama*. Detroit 1963.

—,—. „Mallarmé the Alchemist", *Australian Journal of French Studies*, VI, I, nos. 2—3 (1969), S. 163—79.

—,—. „Theory of Language in Gustave Flaubert and James Joyce", *Revue de littérature comparée*, XXV (1961), S. 197—206.

BOASE, Alan M., ed. *The Poetry of France*. Volume III 1800—1900. London 1967.

—,—. *The Poetry of France*. Volume IV 1900—1965. London 1969.

BÖSCHENSTEIN, Bernhard. „Wirkungen des französischen Symbolismus auf die deutsche Lyrik der Jahrhundertwende", *Euphorion*, LVIII (1964), S. 375—95.

BOISDEFFRE, Pierre de. *Où va le roman?* Paris 1962.

Boletín del Instituto de Estudios Germánicos. Facultad de Filosofía y Letras. Universidad de Buenos Aires. Años III—IV (1941—42), No. 8: Número especial dedicado a Rainer María Rilke.

BOLLE, Louis. „Mallarmé, Igitur et Hamlet", *Critique*, XXI (1965), S. 853—63.

BONNEAU, Georges. *Le Symbolisme dans la Poésie française contemporaine*. Paris 1930.

BORCHERDT, Hans H. „Das Problem des ‚Verlorenen Sohnes' bei Rilke", in: *Worte und Werte*. Markwardt-Festschrift. Hrg. Gustav Erdmann und Alfons Eichstädt. Berlin 1961, S. 24—33.

BOWRA, C. M. *The Heritage of Symbolism*. London 1962.

BRADLEY, Brigitte L. *R. M. Rilkes ‚Neue Gedichte'*. Bern und München 1967.

BRAET, Herman. *L'Accueil fait au symbolisme en Belgique 1885—1900*. Bruxelles 1967.

BREMONT, Henri. *La Poésie pure*. Avec „Un Débat sur la poésie" par Robert Souza. Paris 1926.

BRINKMANN, Hennig. „Tagung der deutschen Hochschulgermanisten in Marburg vom 25. bis 29. September 1957", *Wirkendes Wort*, VII (1957—58), S. 124—28.

—,—. Richard. *Wirklichkeit und Illusion*. Tübingen 1957.

BROCH, Hermann. *Dichten und Erkennen*. Essays. Bd. I. Zürich 1955.

—,—. *Der Tod des Vergil*. München 1968.

BRONNE, Carlo. *Rilke, Gide et Verhaeren*. Correspondance inédite. Paris 1955.

BRUGGER, Ilse. *Il Problema de la Muerte en Rainer María Rilke*. Anejo al *Boletín No. 8 del Instituto de Estudios Germánicos*. Facultad de Filosofía y Letras. Universidad de Buenos Aires. 1943.

BRUNETIERE, Ferdinand. *L'Evolution de la poésie lyrique en France au dix-neuvième siècle*. 2 Bde. Paris 1927—28.

BRUNS, Gerald L. „Mallarmé: The Transcendence of Language and the Ästhetics of the Book", *Journal of Typographic Research*, III (1969), S. 219—34.

BUDDEBERG, Else. *Denken und Dichten des Seins. Heidegger — Rilke*. Stuttgart 1956.

—,—. *Kunst und Existenz im Spätwerk Rilkes*. Karlsruhe 1948.

—,—. *Rainer Maria Rilke*. Eine innere Biographie. Stuttgart 1954.

—,—. „Spiegel-Symbolik und Problem-Person bei Rainer Maria Rilke", *Deutsche Vierteljahrsschrift für Literaturwissenschaft und Geistesgeschichte*. XXIV (1950), S. 360—86.

BÜHLER, Willi. *Die ‚erlebte Rede' im englischen Roman in ihren Vorstufen und in ihrer Ausbildung im Werke Jane Austens*. Bern 1936.

BUTLER, Elizabeth M. *Rainer Maria Rilke*. Cambridge 1941.

CAILLIET, Emile. *Symbolisme et âmes primitives*. Paris 1936.

CASSIRER-SOLMITZ, Eva. *Das Stundenbuch. Die Aufzeichnungen des Malte Laurids Brigge. Die Duineser Elegien. Die Götter bei Rilke*. Heidelberg 1957.

CASTEX, Pierre-Georges. *Autour du Symbolisme*. Lille—Paris 1955.

ÇAZAMIAN, Louis. *Symbolisme et poésie: l'exemple anglais*. Neuchâtel 1947.

ČERNÝ, Václav. *Rainer Maria Rilke: Prag, Böhmen und die Tschechen*. Übersetzt von Jaromír Povejšil und Gitta Wolfová. Prag 1966.

CHADWICK, Charles. *Symbolism*. London 1971.

CHAMPIGNY, Robert. „Mallarmé's Relation to Platonism and Romanticism", *Modern Language Review*, LI (1956), S. 348—58.

—,—. *Portrait of a Symbolist Hero*. Bloomington 1954.

—,—. „Trois définitions du Symbolisme", in: „The Symbolist Movement", edited by Haskell M. Block, *Comparative Literature Studies*, IV (1967), S. 127—33.

CHARPENTIER, John. *L'Evolution de la poésie lyrique de Joseph Delorme à Paul Claudel*. Paris 1930.

--,—. *Le Symbolisme*. Paris 1927.

CHASSE, Charles. *Le Mouvement symboliste dans l'art du XXe siècle*. Paris 1947.

CHIARI, Joseph. *The Ästhetics of Modernism*. London 1970.

—,—. *Realism and Imagination*. New York 1970.

—,—. *Symbolism from Poe to Mallarmé*. London 1956.

CHISHOLM, A. R. „Mallarmé and the Act of Creation", *L'Esprit créateur*, I, 3 (1961), S. 111—116.

—,—. „Mallarmé's Dream of Self-Creation," AUMLA (Journal of the Australasian Universities Language and Literature Association), XXXVIII (November 1972), S. 137—42.

—,—. „Mallarmé's Edens — II: III. Hérodiade and a Poetic Absolute; IV. Towards the ‚Grand Oeuvre,' " *Ebd.*, XIV (1960), S. 3—22.

—,—. *Mallarmé's Grand Oeuvre*. Manchester 1962.

—,—. „Mallarmé's ‚Poétique très nouvelle," *Australian Journal of French Studies*, VI, nos. 2—3 (1969), S. 147—53.

—,—. *Towards ‚Hérodiade.'* A Literary Genealogy. Melbourne 1934.

—,—. „A Working Exegesis of Mallarmé's ‚Un Coup de Dés,' " AUMLA (Journal of the Australasian Universities Language and Literature Association), I (1953), S. 2—14.

CLAUDEL, Paul. „La catastrophe d' ‚Igitur'", *Nouvelle Revue Française*, XXVII (1926), S. 531—36.

COHN, Robert Greer. *Mallarmé's Masterwork*. New Findings. The Hague-Paris 1966.

—,—. *Toward the Poems of Mallarmé*. Berkeley and Los Angeles 1965.

—,—. *The Writer's Way in France*. Philadelphia 1960.

COOK, Albert. *Prisms*. Studies in Modern Literature. Bloomington and London 1967.

CORDLE, Thomas. *André Gide*. New York 1969.

CORNELL, Kenneth. *The Symbolist Movement*. New Haven 1951.

COSTA, John. „Ästhetics Behind the Poems of Charles Baudelaire and Rainer Maria Rilke on Autumn", *Culture*, XXVII (1966), S. 350—55.

CREPET, Eugène. *Baudelaire*. Paris 1907.

CRESSOT, Marcel. *La Phrase et le vocabulaire de J.-K. Huysmans*. Paris 1938.

CRUICKSHANK, John, ed. *French Literature and its Background: 5: The Late Nineteenth Century*. London 1969.

—,—. *French Literature and its Background: 6: The Twentieth Century*. London 1970.

CURTIUS, Ernst Robert. *Die literarischen Wegbereiter des neuen Frankreich*. Potsdam 1920.

DAVIES, Gardner. *Mallarmé et le drame solaire*. Essai d'exégèse raisonnée. Paris 1959.

—,—. *Vers une explication rationnelle du COUP DE DES*. Essai d'exégèse mallarméenne. Paris 1953.

DECKER, Henry W. *Pure Poetry 1925—1930*. Theory and Debate in France. Berkeley and Los Angeles 1962.

DE CLERY, Adrien R. *Rainer Maria Rilke*. Paris 1958.

DEDEYAN, Charles. *Rilke et la France*. 4 Bde. Paris 1961—63.

DEHN, Fritz. *Rainer Maria Rilke und sein Werk*. Leipzig 1934.

DELFEL, Guy. *L'Esthétique de Stéphane Mallarmé*. Paris 1951.

DELFINER, Lieselotte. *Rilke cet incompris*. Paris 1960.

DELSEMME, Paul. *Téodor de Wycewa et le Cosmopolitisme littéraire en France à l'époque du Symbolisme*. 2 Bde. Brüssel 1967.

—,—. *Un Théoricien du Symbolisme: Charles Morice*. Paris 1958.

DEMETZ, Peter. *René Rilkes Prager Jahre*. Düsseldorf 1953.

DENIS, Maurice. „Cézanne I, II". *The Burlington Magazine for Connoisseurs*, XVI (October 1909 to March 1910), S. 207—19 und 275—80 (übersetzt von Roger E. Fry; ursprünglich in: *L'Occident*, September 1907)

—,—. *Nouvelles théories sur l'art moderne, sur l'art sacré 1914—1921*. Paris 1922.

—,—. *Théories 1890—1910 du symbolisme et de Gauguin vers un nouvel ordre classique*. Paris 1920.

DESGRAUPES, Pierre. *Rainer Maria Rilke*. Paris 1958.

DESPERT, Jean. *La Pensée de Rainer-Maria Rilke*. Brüssel 1962.

DIECKMANN, Liselotte. „Symbols of Isolation in Some Late Nineteenth-Century Poets", *Studies in Germanic Languages and Literatures*. In Memory of Fred O. Nolte. Edited by Erich Hofacker and Liselotte Dieckmann. St. Louis 1963, S. 133—48.

DINAR, André. *Le Croisade Symboliste*. Paris 1943.

DONATO, Eugenio. „The Shape of Fiction: Notes Toward a Possible Classification of Narrative Discourse", *Modern Language Notes*, LXXXVI (1971), S. 807—22.

DURZAK, Manfred. *Der junge Stefan George*. München 1968.

DUTHIE, Enid L. *L'Influence du symbolisme français dans le renouveau poétique de l'Allemagne*. Paris 1933.

DUWE, Wilhelm. *Die Kunst und ihr Anti von Dada bis heute*. Berlin 1967.

EIFLER, Margret. „Existentielle Verwandlung in Rilkes ‚Aufzeichnungen des Malte Laurids Brigge'", *German Quarterly*, XLV (1972), S. 107—13.

EKNER, Reidar. *En sällsam gemenskap: Baudelaire, Söderberg, Obstfelder, Rilke*. Litteraturhistoriska essäer. Stockholm 1967.

ELIOT, T. S. „From Poe to Valéry", in: *To Criticize the Critic and Other Writings*. New York 1965, S. 27—42.

—,—. *Selected Essays*. Edited by John Hayward. London 1953.

EMMANUEL, Pierre. *Baudelaire*. Paris 1967.

EMRICH, Wilhelm. *Geist und Widergeist*. Wahrheit und Lüge der Literatur. Studien. Frankfurt 1965.

—,—. *Polemik*. Streitschriften, Pressefehden und kritische Essays um Prinzipien, Methoden und Maßstäbe der Literaturkritik. Frankfurt 1968.

—,—. *Protest und Verheißung*. Studien zur klassischen und modernen Dichtung. Frankfurt 1963.

ENGELBERG, Edward. *The Symbolist Poem*. New York 1967.

ENGLER, Winfried. *Der französische Roman von 1800 bis zur Gegenwart*. Bern und München 1965.

ERRANTE, Vincenzo. *Rilke. Storia di un'Animo e di una Poesia*. Milano 1931.

EYKMAN, Christoph. *Die Funktion des Häßlichen in der Lyrik Georg Heyms, Georg Trakls und Gottfried Benns*. 2. erweiterte Auflage. Bonn 1969.

FEIDELSON, Charles. *Symbolism and American Literature*. Chicago 1953.

FERRAN, André. *L'Esthétique de Baudelaire*. Paris 1933.

FERREIRO, Alemparte, Jaime. *España en Rilke*. Madrid 1966.

—,—. *Rilke y San Augustín*. Madrid 1966.

FIETZ, Lothar. „Strukturmerkmale der hermetischen Romane Thomas Manns, Hermann Hesses, Hermann Brochs und Hermann Kasacks", *Deutsche Vierteljahrsschrift für Literaturwissenschaft und Geistesgeschichte*, XL (1966), S. 161—83.

FINGERHUT, Karl-Heinz. *Das Kreatürliche im Werke Rainer Maria Rilkes*. Untersuchungen zur Figur des Tieres. Bonn 1970.

FISER, Emeric. *Le Symbole littéraire*. Paris 1941.

FLAUBERT, Gustave. *Correspondance*. Nouvelle édition augmentée. 9 Bde. Paris 1926—33.

FONTAINAS, André. *Mes Souvenirs du symbolisme*. Paris 1928.

FOWLIE, Wallace. *Clowns and Angels*. New York 1943.

—,—. „Legacy of Symbolism", in: *Mid-Century French Poets*. New York 1955, S. 11—27.

—,—. *Mallarmé as Hamlet*. A Study of *Igitur*. Yonkers 1949.

FRANK, Joseph. „Spatial Form in Modern Literature", *Sewanee Review*, LIII (1945), S. 221—40 u. 433—56.

FRANZ, Heinrich Gerhard. „Wandlungen des Menschenbildes in Rainer Maria Rilkes ‚Die Aufzeichnungen des Malte Laurids Brigge' — Parallelen zur gleichzeitigen Malerei", in: *Marginalien zur poetischen Welt*. Festschrift für Robert Mülher. Hrg. Alois Eder, Hellmuth Himmel, Alfred Kracher. Berlin 1971, S. 341—67.

FRAENKEL, Ernest. *Les Dessins trans-conscients de Stéphane Mallarmé*. A propos de la typographie de ‚Un Coup de Dés'. Avant-propos par Etienne Souriau. Avec 68 planches en hors-texte. Paris 1960.

FREEDMAN, Ralph. „Gods, Heroes, and Rilke", in: *Hereditas*. Seven Essays on the Modern Experience of the Classical." Edited by Frederic Will. Austin 1964, S. 3—30.

—,—. *The Lyrical Novel*. Princeton 1963.

—,—. „Symbol as Terminus: Some Notes on Symbolist Narrative", in: „The Symbolist Movement", edited by Haskell M. Block, *Comparative Literature Studies*, IV (1967), S. 135—43.

—,—. „Wallace Stevens and Rainer Maria Rilke: Two Versions of a Poetic," in: *The Poet as Critic*. Edited by Frederick P. W. McDowell. Evanston 1967, S. 60—80.

FREUNDLICH, Martha. „R. M. Rilke: ‚Die Aufzeichnungen des Malte Laurids Brigge'." *Germanisch-romanische Monatsschrift*, N. N., XIX (1931), S. 261—68.

FRIEDRICH, Hugo. *Die Struktur der modernen Lyrik*. Hamburg 1967.

—,—. Werner P. *Outline of Comparative Literature from Dante Alighieri to Eugene O'Neill*. With the collaboration of David H. Malone. Chapel Hill 1954.

FRITZ, Walter H. „Möglichkeiten des Prosagedichtes anhand einiger französischer Beispiele", in: *Akademie der Wissenschaften und der Literatur. Abhandlungen der Klasse der Literatur.* Jahrgang 1970, Nr. 2, S. 19–29.

FRYE, Northrop. *Anatomy of Criticism.* Princeton 1957.

–,–. *Fables of Identity: Studies in Poetic Mythology.* New York 1963.

FÜLLEBORN, Ulrich. „Form und Sinn der ‚Aufzeichnungen des Malte Laurids Brigge'; Rilkes Prosabuch und der moderne Roman", in: *Unterscheidung und Bewahrung.* Kunisch-Festschrift. Hrg. Klaus Lazarwicz und Wolfgang Kron. Berlin 1961, S. 147–69. (Auch in: *Deutsche Romantheorien.* Beiträge zu einer historischen Poetik des Romans in Deutschland. Hrg. Reinhold Grimm. Bonn 1968, S. 251–73)

–,–. *Das Strukturproblem der späten Lyrik Rilkes.* Heidelberg 1960.

–,–. „Zur magischen Gebärdensprache des späten Rilke", in: Festgruß. Für Hans Pyritz. *Euphorion*-Sonderheft 1955, S. 67–73.

–,–. *Das deutsche Prosagedicht.* München 1970.

FUERST, Norbert. *Phases of Rilke.* Bloomington 1958.

GALAND, René. „Baudelaire's Formulary of the True Ästhetic", in: *Baudelaire as Love Poet and Other Essays.* Edited by Lois Boe Hyslop. University Park and London 1969, S. 41–64.

GARBER, Frederick. „Time and the City in Rilke's ‚Malte Laurids Brigge'", *Comparative Literature*, XI (1970), S. 324–39.

GASSER, Emil. *Grundzüge der Lebensanschauung Rainer Maria Rilkes.* Bern 1925.

GEBSER, Jean. *Rilke und Spanien.* Zürich 1946.

GEISER, Christoph. *Naturalismus und Symbolismus im Frühwerk Thomas Manns.* Bern 1971.

GHIL, René. *Les Dates et les oeuvres.* Symbolisme et poésie scientifique. Paris 1923.

–,–. *De la Poésie scientifique.* Paris 1909.

GIDE, André. *Romans. Récits et soties. Oeuvres lyriques.* Paris 1958.

–,–. *Si le grain ne meurt.* Paris 1928.

GILMAN, Margaret. *Baudelaire the Critic.* New York 1943.

GOERTZ, Hartmann. *Frankreich und das Erlebnis der Form im Werke Rainer Maria Rilkes.* Stuttgart 1932.

LE GOFFIC, Charles. *Les Romanciers d'aujourd'hui.* Paris 1890.

GOHEEN, Jutta. „Tempusform und Zeitbegriff in R. M. Rilkes ‚Die Aufzeichnungen des Malte Laurids Brigge'", *Wirkendes Wort*, XIX (1969), S. 254–67.

GOODHEART, Eugene. *The Cult of the Ego.* The Self in Modern Literature. Chicago and London 1968.

GOTHE, Maja. „The Myth of Narcissus in the Works of Rilke and Valéry", *Comparative Literature*, VII (1966), S. 12–20.

GOURMONT, Rémy de. *Le Livre des masques.* Paris 1921.

GRAFF, W. L. *Rainer Maria Rilke. Creative Anguish of a Modern Poet.* Princeton 1956.

GREIF, Hans Jürgen. *Huysmans ‚A Rebours' und die Dekadenz.* Bonn 1971.

GRIMM, Reinhold. „Die problematischen ‚Probleme der Lyrik'", in: *Festschrift Gottfried Weber.* Bad Homburg v. d. H. 1967, S. 299–328.

GROJNOWSKI, Daniel. „Vue d'ensemble: Le symbolisme", *Critique*, XXI (1965), S. 178–85.

GROSSMANN, Dietrich. *R. M. Rilke und der französische Symbolismus.* Jena 1938.

GSTEIGER, Manfred. *Französische Symbolisten in der deutschen Literatur der Jahrhundertwende (1869—1914)*. Bern 1971.

GÜNTHER, Werner. *Weltinnenraum*. Berlin und Bielefeld 1952.

GUTHKE, Karl S. „C. F. Meyers Kunstsymbolik", in: *Wege zur Literatur*. Studien zur deutschen Dichtungs- und Geistesgeschichte. Bern und München 1967, S. 187—204.

HACKETT, C. A. *Anthology of Modern French Poetry*. From Baudelaire to the Present Day. Oxford 1964.

HAEFELI, Verena. *Werner Zemp. Das Problem einer deutschen ‚poésie pure'*. Zürich 1967,

HAGEN, Hans-Wilhelm. *Rilkes Umarbeitungen*. Leipzig 1931.

HALDA, Bernard. *Rainer Maria Rilke*. Paris 1961.

HAMBURGER, Käthe. „Die Geschichte des Verlorenen Sohnes bei Rilke", in: *Fides et communicatio*. Festschrift für Martin Doerne zum 70. Geburtstag. Hrg. Dietrich Rössler, Gottfried Voigt und Friedrich Wintzer. Göttingen 1970, S. 126—43.

—,—. „Die phänomenologische Struktur der Dichtung Rilkes", in: *Philosophie der Dichter*. Novalis, Schiller, Rilke. Stuttgart 1966, S. 179—275.

—,—. Hrg. *Rilke in neuer Sicht*. Stuttgart 1971.

—,—. „Die Zeitlosigkeit der Dichtung", *Deutsche Vierteljahrsschrift für Literaturwissenschaft und Geistesgeschichte*, XXIX (1955), S. 413—26.

—,—. Michael. *The Truth in Poetry*. Tensions in Modern Poetry from Baudelaire to the 1960s. New York 1969.

HARTLEY, Anthony. Einleitung zu *Mallarmé*. Baltimore 1965, S. IX—XXXI.

HARTMANN, Geoffrey H. *The Unmediated Vision*. New Haven 1954.

HASSAN, Ihab. *The Dismemberment of Orpheus*. New York 1971.

HASSELBLATT, Dieter. *Zauber und Logik*. Eine Kafka-Studie. Köln 1964.

HAUSER, Arnold. *Sozialgeschichte der Kunst und Literatur*. München 1967.

HAYDEN, Donald E. „Wordsworth Agonistes and the Epiphanic Experience", in: *Introspection: The Artist Looks at Himself*. The University of Tulsa Monograph Series, XII (1971), S. 10—28.

HAYMAN, David. „The Broken Cranium — Headwounds in Zola, Rilke, Céline: A Study in Contrasting Modes", *Comparative Literature Studies*, IX (1972), S. 207—33.

—,—. *Joyce et Mallarmé*. 2 Bde. Paris 1956.

VAN HEERIKHUIZEN, F. W. *Rainer Maria Rilke*. London 1951.

HEFTRICH, Eckard. *Die Philosophie und Rilke*. Freiburg und München 1962.

HELL, Victor. *Rainer Maria Rilke*. Existence humaine et poésie orphique. Paris 1965.

HELLER, Erich. *The Disinherited Mind*. Philadelphia 1952.

—,—. „The Realistic Fallacy", in: *Documents of Modern Literary Realism*. Edited by George J. Becker. Princeton 1963, S. 591—98.

HELLPACH, Willy. *Nervosität und Kultur*. Berlin 1902.

HENDRY, Irene. „Joyce's Epiphanies", *Sewanee Review*, LIV (1946), S. 449—67.

HENEL, Heinrich. „Erlebnisdichtung und Symbolismus", *Deutsche Vierteljahrsschrift für Literaturwissenschaft und Geistesgeschichte*, XXXII (1958), S. 71—98.

HESELHAUS, Clemens. „Auslegung und Erkenntnis", in: *Gestaltprobleme der Dichtung*. Müller-Festschrift, Hrg. Richard Alewyn, Hans-Egon Hass und Clemens Heselhaus. Bonn 1957, S. 259—82.

HOCKE, Gustav R. *Manierismus in der Literatur.* Sprach-Alchemie und esoterische Kombinationskunst. Hamburg 1967.

HÖLLERER, Walter. „Die Epiphanie als Held des Romans", *Akzente*, VIII (1961), S. 125—36 und 275—85.

—,—. *Theorie der modernen Lyrik.* Dokumente zur Poetik I. Hamburg 1966.

HÖNNIGHAUSEN, Lothar. *Präraphaeliten und Fin de Siècle.* München 1971.

HOFFMANN, Ernst F. „Zum dichterischen Verfahren in Rilkes ‚Aufzeichnungen des Malte Laurids Brigge'", *Deutsche Vierteljahrsschrift für Literaturwissenschaft und Geistesgeschichte*, LII (1968), S. 202—30.

HOFMANN, Ludwig. *Gestalt und Gehalt in R. M. Rilkes ‚Aufzeichnungen des Malte Laurids Brigge'.* Diss. Wien 1934 (Masch.).

HOFSTÄTTER, Hans H. *Geschichte der europäischen Jugendstilmalerei.* Köln 1963.

—,—. *Symbolismus und die Kunst der Jahrhundertwende.* Voraussetzungen. Erscheinungsformen. Bedeutungen. Köln 1965.

HOGH, Graham. *Image and Experience.* Lincoln 1960.

—,—. „Symbolism", in: *An Essay on Criticism.* London 1966, S. 128—39.

HOLTHUSEN, Hans E. „Das Schöne und das Wahre in der Poesie: Zur Theorie des Dichterischen bei Eliot und Benn", *Merkur*, XI (1957), S. 305—30.

—,— Johannes. *Studien zur Ästhetik und Poetik des russischen Symbolismus.* Göttingen 1957.

—,—. *Versdichtung der russischen Symbolisten.* Wiesbaden 1959.

HORST, Karl August. *Kritischer Führer durch die deutsche Literatur der Gegenwart.* München 1962.

—,—. *Das Spektrum des modernen Romans.* München 1960.

HOWALD, Ernst. „Die absolute Dichtung im 19. Jahrhundert", *Trivium*, VI (1948), S. 23—52.

HOWE, Irving. „The Culture of Modernism". in: Decline of the New. New York 1963, S. 3—33.

—,—. *The Idea of the Modern in Literature and the Arts.* New York 1967.

—,—. *Literary Modernism.* New York 1967.

HURET, Jules. *Enquête sur l'évolution littéraire.* Paris 1913.

HUYSMANS, Joris K. *Oeuvres complètes.* Bd. VII. Paris 1929.

IBARRA, Cristobal Humberto. *Rilke.* Claves de su creación. La Plata 1952.

ISER, Wolfgang, Hrg. *Immanente Ästhetik. Ästhetische Reflexion.* Lyrik als Paradigma der Moderne. München 1966.

JÄGER, Marlene. *Rilkes ‚Aufzeichnungen des Malte Laurids Brigge' in ihrer dichterischen Einheit.* Diss. Tübingen 1960 (Masch.).

JALOUX, Edmond. *La dernière amitié de Rainer Maria Rilke.* Paris 1949.

—,—. *Rainer Maria Rilke.* Paris 1937.

VON JAN, Hermann. *Rilkes ‚Aufzeichnungen des Malte Laurids Brigge'.* Leipzig 1938.

JAUSS, H. R., Hrg. *Die nicht mehr schönen Künste.* Grenzphänomene des Ästhetischen. München 1968.

JEPHCOTT, E. F. N. *Proust and Rilke.* The Literature of Expanded Consciousness. London 1972.

JOHANSEN, Svend. *Le Symbolisme.* Kopenhagen 1945.

JONES, P. Mansell. *The Background of Modern French Poetry.* Cambridge 1951.

JOUVE, Pierre Jean. *Tombeau de Baudelaire.* Paris 1958.

JOYCE, James. *A Portrait of the Artist as a Young Man.* New York 1961.

—,—. *Stephan Hero*. New York 1944.

JULLIAN, Philippe. *Esthètes et magiciens*. L'Art fin de siècle. Paris 1969.

KAHLER, Erich. „Geistige Gestalt", in „Einleitung" zu Hermann Broch. *Gedichte*. Zürich 1953, S. 11—26.

—,—. „Untergang und Übergang der epischen Kunstform", *Neue Rundschau*, LXIV (1953), S. 1—44.

—,—. „Die Verinnerlichung des Erzählens", *ebd.*, LXVIII (1957), S. 501—46.

KAHN, Gustave. *Les Origines du symbolisme*. Paris 1936.

—,—. *Symbolistes et décadents*. Paris 1902.

KARATSON, André *Le Symbolisme en Hongrie*. Paris 1969.

KAUFMANN, Fritz. „Sprache als Schöpfung. Zur absoluten Kunst im Hinblick auf Rilke", *Zeitschrift für Ästhetik*, XXVIII (1934), S. 1—54.

KAWERAU, Siegfried. *Stefan George und Rainer Maria Rilke*. Berlin 1928.

KAYSER, Wolfgang. *Kleines literarisches Lexikon*. Sachbegriffe. Bd. III. Bern 1966.

—,—. *Das sprachliche Kunstwerk*. Bern und München 1962.

—,—. *Die Vortragsreise*. Bern 1958.

KAZIN, Alfred. „The Background of Modern Literature", in: *Contemporaries*. Boston and Toronto 1962, S. 3—25.

KERMODE, Frank. *Romantic Image*. New York 1957.

KESTING, Marianne. *Entdeckung und Destruktion*. Zur Strukturumwandlung der Künste. München 1970.

—,—. *Vermessung des Labyrinths*. Studien zur modernen Ästhetik. Frankfurt 1965.

KIPPENBERG, Katharina. *Rainer Maria Rilke*. Leipzig 1935.

KIRCHGRABER, Jost. *Meyer, Rilke, Hofmannsthal*. Dichtung und bildende Kunst. Bonn 1971.

KLATT, Fritz. *Rainer Maria Rilke*. Wien 1948.

KLEIN, Johannes. „Die Struktur von Rilkes ‚Malte', *Wirkendes Wort*, II (1952) S. 93—102.

KLOTZ, Ernst-Emil. „Ein Versuch mit Rilkes ‚Malte Laurids Brigge'", *Pädagogische Rundschau*, XVIII (1964), S. 430—33.

KLUCKHOHN, Paul. „Die Wende vom 19. zum 20. Jahrhundert in der deutschen Dichtung", *Deutsche Vierteljahrsschrift für Literaturwissenschaft und Geistesgeschichte*, XXIX (1955), S. 1—19.

KOHLSCHMIDT, Werner. „Die Berner Handschrift von Rilkes Rodin-Vertrag", in: *Dichter, Tradition und Zeitgeist*. Bern und München 1965, S. 160—75.

—,—. „Freiheit und Notwendigkeit. Eine Ringvorlesung", *ebd.*, S. 54—67.

—,—. „Die Problematik der Spätzeitlichkeit", *ebd.*, S. 23—34.

—,—. „Rilke und Obstfelder", *ebd.*, S. 176—89.

—,—. *Rainer Maria Rilke*. Lübeck 1948.

—,—. *Rilke-Interpretationen*. Freiburg 1948.

—,—. „Rilkes Religiosität", in: *Die entzweite Welt*. Gladbeck 1953, S. 77—87.

—,—. „Rilke und Kierkegaard", *ebd.*, S. 88—97.

KRUMMACHER, Hans-Henrik. *Das ‚Als ob' in der Lyrik*. Erscheinungsformen und Wandlungen einer Sprachfigur der Metaphorik von der Romantik bis zu Rilke. Köln-Graz 1965.

KRUSE, Margot. „Philosophie und Dichtung in Sartres ‚La Nausée'". *Romanistisches Jahrbuch*, IX (1958), S. 214—25.

KÜGLER, Hans. „Der Verlust des Grundes (1900—1912)", in: *Weg und Weglosigkeit*.

Neun Essays zur Geschichte der deutschen Literatur im zwanzigsten Jahrhundert. Heidenheim 1970, S. 9—26.

KUGEL, James L. *The Techniques of Strangeness in Symbolist Poetry.* New Haven and London 1971.

KUHN, Hugo. „Rilke und Rilke-Literatur", *Deutsche Vierteljahrsschrift für Literaturwissenschaft und Geistesgeschichte,* XVII (1939), S. 90—136.

KUNISCH, Hermann. *Rainer Maria Rilke.* Dasein und Dichtung. Berlin 1944.

—,—. „Rainer Maria Rilke und die Dinge", in: *Kleine Schriften.* Berlin 1968, S. 389—420.

KUNZ, Marcel. *Narziß.* Untersuchungen zum Werk Rainer Maria Rilkes. Bonn 1970.

KUSHNER, Eva. *Le Mythe d'Orphée dans la littérature française contemporaine.* Paris 1961.

LÄMMERT, E. *Bauformen des Erzählens.* Stuttgart 1955.

LALOU, René. *Les Etapes de la poésie française.* Paris 1947.

—,—. *Historie de la littérature française contemporaine (De 1870 à nos jours).* Paris 1953.

LANDMANN, Michael. *Die absolute Dichtung.* Stuttgart 1963.

LANG, Renée. *Lettres milanaises 1921—1926.* Paris 1956.

—,—. *Rainer Maria Rilke — André Gide Correspondance 1909—1926.* Paris 1952.

—,—. „Rilke and his French Contemporaries", *Comperative Literature,* X (1958), S. 136—43.

LANGE, Victor. „Language as the Topic of Modern Fiction", in: *Discontinuous Tradition.* Studies in German Literature in honour of Ernest Ludwig Stahl. Edited by P. F. Ganz. London 1971, S. 260—72.

LEHMANN, A. G. *The Symbolist Aesthetic in France 1885—95.* Oxford 1968.

—,—. Peter L. „Deutscher Symbolismus", in: *Meditationen um Stefan George.* Düsseldorf und München 1965, S. 19—30.

LEHNERT, Herbert. *Struktur und Sprachmagie.* Stuttgart 1966.

LETHEVE, Jacques. *Impressionistes et Symbolistes devant la presse.* Paris 1959.

LEVIN, Harry. *Symbolism and Fiction.* Charlottesville 1956.

LINDENBERGER, Herbert. *Georg Trakl.* New York 1971.

—,—. „Georg Trakl and Rimbaud: A Study in Influence and Development", *Comparative Literature,* X (1958), S. 21—35.

LÖVGREN, Sven. *The Genesis of Modernism.* Stockholm 1959.

LOHNER, Edgar. *Passion und Intellekt.* Die Lyrik Gottfried Benns. Neuwied 1961.

—,—. *Schiller und die moderne Lyrik.* Göttingen 1964.

LONG, Richard, and Iva G. Jones. „Towards a Definition of the ‚Decadent Novel'", *College English,* XXII (1960—61), S. 245—49.

LOOCK, Wilhelm. *Rainer Maria Rilke: Die Aufzeichnungen des Malte Laurids Brigge.* Interpretationen. München 1971.

MAETERLINCK, Maurice. *Le Trésor des Humbles.* Paris 1912.

MAGNY, Claude-Edmonde. *Histoire du roman français depuis 1918.* Paris 1950.

—,—. *Arthur Rimbaud.* Paris 1952.

MáGR, Clara. *Rainer Maria Rilke und die Musik.* Wien 1960.

MALLARME, Stéphane. *Correspondance I 1862—1871.* Hrg. Henri Mondor und Jean-Pierre Richard. Paris 1959.

—,—. *Correspondance II 1871—1885.* Hrg. Henri Mondor und Lloyd James Austin. Paris 1965.

—,—. *Les Lettres.* Poésie, Philosophie, Littérature, Critique. Paris 1948.

–,–. *Lettres et Autographes*. Hrg. B. Dujardin, Empreintes Nos. 10–11. Bruxelles 1952.

–,–. *Oeuvres complètes*. Paris 1945.

MARIE, Aristide. *La Forêt symboliste*. Paris 1936.

MARTINI, Fritz. *Das Wagnis der Sprache*. Stuttgart 1954.

–,–. „Spätzeitlichkeit in der Literatur des 19. Jahrhunderts (Überlegungen zu einem Problem der Formengeschichte)“, in: *Stoffe, Formen, Strukturen.* Studien zur deutschen Literatur. Borcherdt-Festschrift. Hrg. Albert Fuchs und Helmut Motekat. München 1962, S. 440–70.

MARTINS, Cristiano. *Rilke, o poeta e a poesia*. Belo Horizonte 1949.

MASLENIKOV, Oleg A. „Russian Symbolists: The Mirror Theme and Allied Motifs“, *The Russian Review*, XVI (1957), S. 42–52.

MASON, Eudo C. *Exzentrische Bahnen.* Studien zum Dichterbewußtsein der Neuzeit. Göttingen 1963.

–,–. *Lebenshaltung und Symbolik bei R. M. Rilke*. Weimar 1939.

–,–. *Rilke's Apotheosis.* A Survey of Representative Recent Publications on the Work and Life of Rilke. Oxford 1938.

–,–. *Rainer Maria Rilke*. Sein Leben und sein Werk. Göttingen 1964.

–,–. *Rilke, Europe and the English-speaking World*. Cambridge 1961.

–,–. *Rilke und Goethe*. Köln 1958.

–,–. „Rilkes Humor“, in: *Deutsche Weltliteratur.* Von Goethe bis Ingeborg Bachmann. Hrg. Klaus W. Jonas. Tübingen 1972, S. 216–44.

–,–. „Rilke's Experience of Inspiration and His Conception of ‚Ordnen‘“, *Forum for Modern Language Studies*, II (1966) S. 335–46.

–,–. „Stichproben. Versuch einer Morphologie der Rilke-Deutung“, *Orbis Litterarum*, VIII (1950), S. 104–60.

–,– *Zopf des Münchhausen*. Einsiedeln 1949.

MATLAW, Ralph E. „The Manifest of Russian Symbolism“, *The Slavic and East European Journal*, XV (1957), S. 177–91.

MAURON, Charles. „Introduction“ zu: Stéphane Mallarmé. *Poems*. Translated by Roger Fry. New York 1951, S. 1–43.

MAYER, Gerhart. *Rilke und Kassner*. Bonn 1960.

MAYOUX, Jean-Jacques. „At the Sources of Symbolism“, *Criticism*, I (1959) S. 279–97.

MAZEL, Henri. *Aux beaux temps du Symbolisme 1890–1895*. Paris-Bruxelles 1943.

MENDILOW, A. A. *Time and the Novel*. London 1952.

MERCIER, Alain. *Les Sources Esotériques et Occultes de la Poésie Symboliste (1870–1914).* I: *Le Symbolisme Français*. Paris 1969.

MEYER, Herman. „Rilkes Sachlichkeit“, in: *Deutsche Weltliteratur.* Von Goethe bis Ingeborg Bachmann. Hrg. Klaus W. Jonas. Tübingen 1972, S. 203–15.

–,–. *Zarte Empire*. Stuttgart 1963.

–,–. Klaus. *Das Bild der Wirklichkeit und des Menschen in R. M. Rilkes ‚Aufzeichnungen des Malte Laurids Brigge‘*. Diss. Göttingen 1952 (Masch.).

MEYERHOFF, Hans. *Time in Literature*. Berkeley and Los Angeles 1953.

MEYERS, Robert B. „The French Symbolist Poets in Germany: Criticism and Translations, 1870–1914“, *Harvard University Summaries of Theses 1943–1945*, Cambridge (1947), S. 504–8.

MICHA, René. „La Marquise sortit à cinq heures“, *Cahiers du Sud*, XXXVII (1950), S. 120–32.

108

MICHAUD, Guy. *La Doctrine symboliste*. Documents. Paris 1947.

—,—. *Mallarmé*. Paris 1953.

—,—. *Message poétique du symbolisme*. Paris 1947.

—,—. „Symbolique et Symbolisme", *Cahiers de l'Association Internationale des Etudes Françaises*, VI (1954), S. 75—95.

—,—. „Le Thème du miroir dans le symbolisme français", *ebd.*, XI (1959), S. 199—216.

MIGNER, Karl. *Theorie des modernen Romans*. Stuttgart 1970.

MILES, David H. *Hofmannsthal's Novel ,Andreas'*. Princeton 1972.

MISES, Richard von. *Rilke in English*. A Tentative Bibliography. Cambridge (Mass.) 1947.

MOCKEL, Albert. *Esthétique du Symbolisme: ,Propos de littérature' (1894), ,Stéphane Mallarme, un héros' (1899), Textes divers*. Précédés d'une etude sur Albert Mockel par Michel Otten. Bruxelles 1962.

MÖRCHEN, Hermann. *Rilkes ,Sonette an Orpheus'*. Stuttgart 1958.

VON MOHRENSCHILDT, D. S. „The Russian Symbolist Movement", *Publications of the Modern Language Association*, LIII (1938), S. 1193—1209.

MOISES, Massaud. *O Simbolismo*. Roteiro das Grandes Literatures. A Literatura Brasileira IV. Sao Paulo 1966.

MONDOR, Henri. *Autres précisions sur Mallarmé et Inédits*. Paris 1961.

—,—. *Vie de Mallarmé*. Paris 1941.

MORICE, Charles. *La Littérature de tout à l'heure*. Paris 1889.

MOSSOP, D. J. *Pure Poetry*. Oxford 1971.

MOTEKAT, Helmut. *Experiment und Tradition*. Frankfurt 1962.

MÜLHER, Robert. *Dichtung der Krise*. Mythos und Psychologie in der Dichtung des 19. und 20. Jahrhunderts. Wien 1951.

—,—. „Rilke und Cézanne: Eine Studie über die künstlerische Methode des ,Einsehens'", *Österreich in Geschichte und Literatur*, X (1966), S. 35—47.

MÜLLER, Wolfgang. *Rainer Maria Rilkes ,Neue Gedichte'*. Vielfältigkeit eines Gedichttypus. Meisenheim 1971.

NAUMANN, Walter. „Mallarmés ,Un Coup de Dés jamais n'abolira le Hasard'", *Romanische Forschungen*, LII (1938), S. 123—65.

—,—. *Der Sprachgebrauch Mallarmés*. Marburg 1936.

NEUMANN, Gerhard. „Die ,absolute' Metapher. Ein Abgrenzungsversuch am Beispiel Stéphane Mallarmés und Paul Celans", *Poetica*, III (1970), S. 188—225.

NEVAR, Elya Maria. *Une Amitié de Rainer Maria Rilke*. Hrg. Marcel Pobé. Paris 1964.

NIVELLE, Armand. „Sens et structure des ,Cahiers de Malte Laurids Brigge'", *Revue d'Esthétique*, XII (1959), S. 5—32.

—,—. „Zur Erneuerung des Romans am Anfang des 20. Jahrhunderts", in: *Deutsche Weltliteratur*. Von Goethe bis Ingeborg Bachmann. Hrg. Klaus W. Jonas. Tübingen 1972, S. 148—57.

NOULET, E. *L'Oeuvre poétique de Stéphane Mallarmé*. Paris 1940.

OBENAUER, K. J. *Die Problematik des ästhetischen Menschen in der deutschen Literatur*. München 1933.

OLIVER, Kenneth. „Rainer Maria Rilke's Basic Concept of Literary Art", *Monatshefte*, XL (1948), S. 382—90.

OLIVERO, Federico. *Rainer Maria Rilke*. Torino 1929.

O'NEILL, Kevin. *André Gide and the ,Roman d'aventure'*. Sydney 1969.

ORTEGA Y GASSET, José. *La Deshumanización del arte. Ideas sobre la novela.* Madrid 1925.

OSANN, Christiane. *Rainer Maria Rilke.* Zürich und Leipzig 1941.

OSMONT, Anne. *Le Mouvement symboliste.* Paris 1917.

PABST, Walter, Hrg. *Der moderne französische Roman.* Berlin 1968.

—,—. „Literatur zur Theorie des Romans", *Deutsche Vierteljahrsschrift für Literaturwissenschaft und Geistesgeschichte,* XXXIV (1960), S. 264—89.

PARK, Ynuhi. „Dilemme Mallarméen", *Revue d'Esthétique,* N. S., XIX (1966), S. 149—60.

PARRY, Idris. „Malte's Hand", *German Life and Letters,* N. S., XI (1957—58), S. 1—12.

—,—. „Unicorn and Narcissus: A Study of Three of Rilke's ‚Sonette an Orpheus'", *Modern Language Review,* LIV (1959), S. 378—83.

PAULSEN, Wolfgang. „Von Stifter zu Rilke. Zur Geschichte des Individualismus im 19. Jahrhundert", *Monatshefte",* XXXIII—XXXIV (1941—42), S. 77—88.

PESCH, Ludwig. *Die romantische Rebellion in der modernen Literatur.* München 1962.

PETERS, H. F. *Rainer Maria Rilke: Masks and Man.* Seattle 1960.

PEYRE, Henri. *Connaissance de Baudelaire.* Paris 1951.

PICHOIS, Claude. *Baudelaire.* Neuchâtel 1967.

PICON, Gaëtan. *Panorama de la nouvelle littérature française.* Paris 1949.

PIKE, Burton. „Thomas Mann and the Problematic Self", *Publications of the English Goethe Society,* N. S., XXXVII (1967), S. 120—41.

POBE, Marcel. *Rainer Maria Rilke.* Wandel in seiner Geisteshaltung. Berlin 1933. „The Poetics of French Symbolism", *Romanic Review,* XLVI (1955), S. 161—235.

POGGIOLI, Renato. „The Artist in the Modern World", in: *The Spirit of the Letter.* Cambridge (Mass.) 1965, S. 323—42.

—,—. *The Theory of the Avant-Garde.* Cambridge (Mass.) 1968.

POIZAT, Alfred. *Le Symbolisme.* De Baudelaire à Claudel. Paris 1919.

POLLMANN, Leo. *Der französische Roman im 20. Jahrhundert.* Stuttgart 1970.

POMMIER, Jean. *La Mystique de Baudelaire.* Paris 1932.

PONGS, Hermann. *Das Bild in der Dichtung.* 3 Bde. Marburg 1960—69.

—,—. „Rilke-Schrifttum", *Euphorion,* XXXVII (1936), S. 116—25.

POUILLART, Raymond. *Le Romantisme III 1869—1896.* Paris 1968.

POULET, Georges. *La Distance intérieure.* Paris 1952.

—,—. *Etudes sur le temps humain.* Paris 1953.

PRANG, Helmut. „Der moderne Dichter und das arme Wort", *Germanisch-romanische Monatsschrift,* N. F., VII (1957), S. 130—45.

PRAZ, Mario. *Liebe, Tod und Teufel.* Die schwarze Romantik. München 1963.

PREVOST, Jean. *Baudelaire.* Paris 1953.

PROUST, Marcel. „A propos du ‚style' de Flaubert", in: *Chroniques.* Paris 1927, S. 193—211.

QUENNELL, Peter. *Baudelaire and the Symbolists.* London 1954.

RACINE, Anne. *Rilke et l'aimante.* Paris 1958.

RAIMOND, Michel. *La Crise du Roman.* Des lendemains du Naturalisme aux années vingt. Paris 1966.

—,—. *Le Roman depuis la Révolution.* Paris 1969.

RAITT, A. W. *Villiers de l'Isle-Adam et le mouvement symboliste.* Paris 1965.

RAUHUT, Franz. *Das französische Prosagedicht.* Hamburg 1929.

RAYMOND, Marcel. *De Baudelaire au surréalisme.* Edition nouvelle revue et remaniée. Paris 1952.

—,—. *Etre et dire.* Etudes. Neuchâtel 1970.

RAYNAUD, Ernest. *Charles Baudelaire.* Paris 1922.

—,—. *En Marge de la mêlée symboliste.* Paris 1936.

Reconnaissance à Rilke. Nummer 23/24 der *Cahiers du Mois.* Paris 1926.

REES, Garnet. „Baudelaire and the Imagination", in: *Modern Miscellany.* Edited by T. E. Lawrenson, F. E. Sutcliffe, G. F. A. Gadoffre. Manchester 1969, S. 203—15.

REHM, Walter. *Der Dichter und die neue Einsamkeit.* Aufsätze zur Literatur um 1900. Göttingen 1969.

—,—. *Orpheus: der Dichter und die Toten.* Düsseldorf 1950.

—,—. „Rilke und die Duse", in: *Begegnungen und Probleme.* Studien zur deutschen Literaturgeschichte. Bern 1957, S. 346—417.

RETTE, Adolphe. *Le Symbolisme.* Anecdotes et Souvenirs. Paris 1903.

REWALD, John. *Post-Impressionism from Van Gogh to Gauguin.* New York 1962.

REYNOLD, Gonzague de. *Charles Baudelaire.* Paris-Genève 1920.

RICHARD, Jean-Pierre. *Poésie et Profondeur.* Paris 1955.

—,—. *L'Univers imaginaire de Mallarmé.* Paris 1961.

—.—, Noël. *A l'Aube du Symbolisme.* Paris 1961.

RICKMAN, H. P. „Poetry and the Ephemeral. Rilke's and Eliot's Conception of the Poet's Task", *German Life and Letters,* XII (1959), S. 174—85.

RILKE, Rainer Maria. *Briefe.* Wiesbaden 1950.

—,—. *Briefe an seinen Verleger.* Hrg. Ruth Sieber-Rilke und Carl Sieber. 2 Bde. Wiesbaden 1949.

—,—. *Briefe aus den Jahren 1892—1904.* Hrg. Ruth Sieber-Rilke und Carl Sieber. Leipzig 1939.

—,—. *Briefe aus den Jahren 1902 bis 1906.* Hrg. Ruth Sieber-Rilke und Carl Sieber. Leipzig 1930.

—,—.*Briefe aus den Jahren 1904 bis 1906.* Hrg. Ruth Sieber-Rilke und Carl Sieber. Leipzig 1930.

—,—. *Briefe aus den Jahren 1904 bis 1907.* Hrg. Ruth Sieber-Rilke und Carl Sieber. Leipzig 1939.

—,—. *Briefe aus den Jahren 1906 bis 1907.* Hrg. Ruth Sieber-Rilke und Carl Sieber. Leipzig 1930.

—,—. *Briefe aus den Jahren 1907 bis 1914.* Hrg. Ruth Sieber-Rilke und Carl Sieber. Leipzig 1939.

—,—. *Briefe aus den Jahren 1914 bis 1921.* Hrg. Ruth Sieber-Rilke und Carl Sieber. Leipzig 1938.

—,—. *Briefe aus Muzot 1921—1926.* Hrg. Ruth Sieber-Rilke und Carl Sieber. Leipzig 1935.

—,—. *Briefe und Tagebücher aus der Frühzeit (1899—1902).* Hrg. Ruth Sieber-Rilke und Carl Sieber. Leipzig 1931.

—,—. *Rainer Maria Rilke — André Gide Correspondance 1909—1926.* Hrg. Renée Lang. Paris 1952.

—,—. *Rainer Maria Rilke — Ida Junghanns Briefwechsel.* Hrg. Wolfgang Herwig. Wiesbaden 1959.

—,—. *Rainer Maria Rilke — Katharina Kippenberg Briefwechsel.* Hrg. Bettina von Bomhard. Wiesbaden 1954.

—,—. *Rainer Maria Rilke — Lou Andreas-Salomé Briefwechsel.* Hrg. Ernst Pfeiffer. Zürich 1952.

—,—. *Rainer Maria Rilke et Merline Correspondance 1920—1926.* Hrg. Dieter Bassermann. Zürich 1954.

—,—. *Rainer Maria Rilke und Marie von Thurn und Taxis Briefwechsel.* Hrg. Ernst Zinn. 2 Bde. Zürich 1951.

—,—. *Sämtliche Werke.* 6 Bde. Hrg. Ernst Zinn. Frankfurt 1955—66.

—,—. *Tagebücher aus der Frühzeit.* Hrg. Ruth Sieber-Rilke und Carl Sieber. Leipzig 1942.

Rainer Maria Rilke. Stimmen der Freunde. Hrg. Gert Buchheit. Freiburg 1931.

Rilke et la France. Paris-Bruxelles 1943.

RIMBAUD, Arthur. *Oeuvres complètes.* Paris 1946.

RITZER, Walter. *Rainer Maria Rilke Bibliographie.* Wien 1951.

RIVIERE, Jacques. „Le roman d'aventure", *Nouvelle Revue Française*, IX (1913), S. 748—65, 914—32; X (1913), S. 56—77.

ROLLESTON, James. *Rilke in Transition.* New Haven and London 1970.

ROMAN, Willy-Paul. *Rainer Maria Rilke le Poète.* Paris 1952

ROSENTHAL, Erwin Theodor. *Das fragmentarische Universum.* München 1970.

ROSTEUTSCHER, Joachim. *Das ästhetische Idol im Werke von Winckelmann, Novalis, Hoffmann, Goethe, George und Rilke.* Bern 1956.

ROUSSEAUX, André „Rainer Maria Rilke et le romantisme du XXe siècle", in: *Littérature du vingtième siècle.* I. Paris 1938, S. 230—37.

RUFF, Marcel. A. *Baudelaire.* Paris 1955.

—,—. *L'Esprit du mal et l'esthétique baudelairienne.* Paris 1955.

RYAN, Judith. „ ‚Hypothetisches Erzählen': Zur Funktion von Phantasie und Einbildung in Rilkes ‚Malte Laurids Brigge' ", *Jahrbuch der deutschen Schillergesellschaft*, XV (1971), S. 341—74.

—,—. *Umschlag und Verwandlung.* Poetische Struktur und Dichtungstheorie in R. M. Rilkes Lyrik der mittleren Periode (1907—1914). München 1972.

—,—. Lawrence. „Die Krise des Romantischen bei Rainer Maria Rilke", in: *Das Nachleben der Romantik in der modernen deutschen Literatur.* Hrg. Wolfgang Paulsen. Heidelberg 1969, S. 130—51.

VON SALIS, Johann R. *Rainer Maria Rilkes Schweizer Jahre.* Frauenfeld 1952.

SCHERER, Jacques. *L'Expression littéraire dans l'oeuvre de Mallarmé.* Paris 1947.

—,— . Hrg. *Le ‚Livre' de Mallarmé.* Paris 1957.

SCHINZ, Albert. „Literary Symbolism in France", *Publications of the Modern Language Association*, XVIII (1903), S. 273—307.

VON SCHLÖZER, Leopold, Hrg. *Rainer Maria Rilke auf Capri.* Gespräche. Dresden 1932.

SCHMIDT, Albert-Marie. *La Littérature symboliste.* Paris 1963.

SCHMIDT-PAULI, Elisabeth von. *Rainer Maria Rilke.* Basel 1940.

SCHMITZ, Victor A. „Das Ethos der Kunst bei George und Rilke", *Deutsche Beiträge zur geistigen Überlieferung*, VI (1970), S. 98—119.

SCHNACK, Ingeborg. *Rilke in Ragaz 1920—1926.* Bad Ragaz 1970.

SCHNEIDER, Jean-Claude. „Le regard de Rilke", *Nouvelle Revue Française*, XIV (1966), S. 881—7.

—,—, Jost. „Ein Beitrag zu dem Problem der ‚Modernität' ", *Der Deutschunterricht*, XXIII (1971), S. 58—67.

—,—, Marcel. *La Littérature fantastique en France.* Paris 1964.

SCHOOLFIELD, George C. „Rilke and Narcissus", in: *On Romanticism and the Art of Translation.* Studies in Honor of Edwin Hermann Zeydel. Edited by Gottfried F. Merkel. Princeton 1956, S. 197—231.

SCHROEDER, A. E. „Rainer Maria Rilke in America. A Bibliography, 1926—1951", *Monatshefte*, XLIV (1952), S. 27—38.

SCHROUBEK, Georg. *Bibliographie der seit Kriegsende erschienenen deutschsprachigen Rilke-Literatur.* München 1950.

SCHWARZ, Egon. *Das verschluckte Schluchzen.* Poesie und Politik bei Rainer Maria Rilke. Frankfurt 1972.

SCOTT, Nathan A. *Negative Capability.* Studies in the New Literature and the Religious Situation. New Haven and London 1969.

SEIDLER, Herbert. „Die künstlerischen Voraussetzungen für die österreichische Lyrik des 20. Jahrhunderts", *Österreich in Geschichte und Literatur*, XIII (1969), S. 81—94.

SEIFERT, Walter. *Das epische Werk Rainer Maria Rilkes.* Bonn 1969.

SENIOR, John. *The Way Down and Out: The Occult in Symbolist Literature.* Ithaca 1959.

SEWELL, Elizabeth. *The Orphic Vision.* New Haven 1960.

SHATTUCK, Roger. *The Banquet Years.* New York 1955.

SIMENAUER, E. *Rainer Maria Rilke: Legende und Mythos.* Bern 1953.

SIMOENS, Leo. „R. M. Rilke en Augusta de Wit", *Revue des Langues Vivantes*, XXXVI (1970), S. 183—9.

SOKEL, Walter H. „Zwischen Existenz und Weltinnenraum: Zum Prozeß der Ent-ichung im ‚Malte Laurids Brigge' ", in: *Probleme des Erzählens in der Weltliteratur.* Hrg. Fritz Martini. Stuttgart 1971, S. 212—33.

—,—. *The Writer in Extremis.* Expressionism in Twentieth-Century German Literature. Stanford 1959.

SPENDER, Stephen. *The Struggle of the Modern.* Berkeley 1963.

STAHL, E. L. „The Genesis of Symbolist Theories in Germany", *Modern Language Review*, XLI (1946), S. 306—17.

STAIGER, Emil. *Die Kunst der Interpretation.* Zürich 1955.

STANZEL, Franz K. *Typische Formen des Romans.* Göttingen 1967.

STARKIE, Enid. *Baudelaire.* London 1933.

—,—. „L'Esthétique des Symbolistes", *Cahiers de l'Association Internationale des Etudes Françaises*, VI (1954), S. 131—38.

STAUB, Hans. *Laterna Magica.* Studien zum Problem der Innerlichkeit in der Literatur. Zürich 1960.

STEFFENSEN, Steffen. „ ‚Die Aufzeichnungen des Malte Laurids Brigge'. Ein Vorläufer des modernen Romans", in: *Peripherie und Zentrum.* Studien zur österreichischen Literatur. Hrg. Gerlinde Weiss und Klaus Zelewitz. Salzburg 1971, S. 311—22.

—,—. „Neue Rilke-Literatur", *Orbis Litterarum*, I (1946), S. 289—303.

STELAND, Dieter. *Dialektische Gedanken in Stéphane Mallarmés ‚Divagations'.* München 1965.

STELZER, Otto. *Die Vorgeschichte der abstrakten Kunst.* München 1964.

STEPHENS, Anthony. *Rainer Maria Rilke's ‚Gedichte an die Nacht'.* Cambridge

1972.

STORCK, Joachim W. „Rilkes Dichtung und die Grenzen der Sprache", *German Life and Letters*, N. S., VIII (1954—55), S. 192—200.

—,—. „Wort-Kerne und Dinge. Rilke und die Krise der Sprache. Zu den ‚Gedichten 1906 bis 1926‘ ", *Akzente*, IV (1957), S. 346—58.

STORZ, Gerhard. *Sprache und Dichtung*. München 1957.

STRAUSS, Walter A. *Descent and Return*. The Orphic Theme in Modern Literature. Cambridge 1971.

—,—. „The Reconciliation of Opposites in Orphic Poetry: Rilke and Mallarmé", *Centennial Review*, X (1966), S. 214—36.

STRICH, Fritz. *Der Dichter und die Zeit*. Bern 1947.

SUGAR, L. de. *Baudelaire et R. M. Rilke*. Paris 1954.

SWIFT, Bernard. „Mallarmé and the Novel", in: *Modern Miscellany*. Edited by T. E. Lawrenson, F. E. Sutcliffe, G. F. A. Gadoffre. Manchester 1969, S. 254—75.

VON SYDOW, Eckart. *Die Kultur der Dekadenz*. Dresden 1922.

„Symbol und Symbolism" , *Yale French Studies*, IX (1952), S. 3—165.

„Le Symbolisme", *Cahiers de la Quinzaine*, XXI (1931), S. 1—69.

„The Symbolist Movement", Hrg. Haskell M. Block,*Comparative Literature Studies*, IV (1967), S. 1—199.

SYMONS, Arthur. *The Symbolist Movement in Literature*. New York 1958.

SYPHER, Wylie. *Rococo to Cubism in Art and Literature*. New York 1960.

TAUPIN, René. *L'Influence du symbolisme français sur la poésie américaine de 1910 à 1920*. Paris 1929.

—,—. „The Myth of Hamlet in France in Mallarmé's Generation", *Modern Language Quarterly*, XIV (1953), S. 432—47.

THEISEN, Josef. „Endzeit des Buches? Betrachtungen zu Mallarmé's Livre" ", *Die Neueren Sprachen*, XVIII (1969), S. 365—72.

THEISSEN, Elisabeth. *Das Ich bei Rilke und Carossa*. Amsterdam 1935.

THIBAUDET, Albert. *La Poésie de Stéphane Mallarmé*. Paris 1926.

—,—. *Réflexions sur le roman*. Paris 1964.

VON THURN UND TAXIS-HOHENLOHE, Marie. *Erinnerungen an R. M. Rilke*. München, Berlin und Zürich 1932.

TIEDEMANN-BARTELS, Hella. *Versuch über das artistische Gedicht*. München 1971.

Times Literary Supplement. 12. April 1957, S. 217—19 (über Flauberts Roman *Madame Bovary*)

TINDALL, William Y. *The Literary Symbol*. New York 1955.

TOBER, Karl. *Urteile und Vorurteile über Literatur*. Stuttgart 1970.

TORRE, Guillermo de. *Literaturas europeas de vanguardia*. Madrid 1953.

TROMMLER, Frank. *Roman und Wirklichkeit*. Stuttgart 1966.

TURNELL, Martin. *Baudelaire*. New York 1953.

UITTI, Karl. *The Concept of Self in the Symbolist Novel*. The Hague 1961.

ULLMANN, Stephen. *The Image in the Modern French Novel*. Cambridge 1960.

—,—. *Style in the French Novel*. Oxford 1957

VALERY, Paul. *Oeuvres*. 2 Bde. Paris 1957—60.

VANIER, Léon, Hrg. *Les Premières armes du symbolisme*. Paris 1889.

VERHAEREN, Emile. *Impressions*. Troisième Série. Paris 1928.

VIETTA, Silvio. *Sprache und Sprachreflexio.: in der modernen Lyrik*. Bad Homburg

v. d. H. 1970.

VIVIER, Robert. *L'Originalité de Baudelaire*. Bruxelles 1952.

VORDTRIEDE, Werner. „The Conception of the Poet in the Works of Stéphane Mallarmé und Stefan George", in: *Northwestern University Summeries of Doctoral Dissertations*, XII (1944), S. 48—50.

—,—. „The Mirror as Symbol and Theme in the Works of Stéphane Mallarmé and Stefan George", *Modern Language Forum*, XXXII (1947), S. 13—24.

—,—. *Novalis und die französischen Symbolisten*. Stuttgart 1963.

WAHL, Jean. *Poésie. Pensée. Perception*. Paris 1948.

WAIDNER, H. F. „André Gide and the Pure Novel: Some Reflections on ,The Counterfeiters' ", in: *Introspection: The Artist Looks at Himself. The University of Tulsa Monograph Series*, XII (1971), S. 41—50,

WAIS, Karin. *Studien zu Rilkes Valéry-Übertragungen*. Tübingen 1967.

WAIS, Kurt. „Die Errettung aus dem Schiffbruch: Melville, Mallarmé und einige deutsche Voraussetzungen", in: *Comparative Literatur*. Proceedings of the Second Congress of the International Comparative Literature Association. Edited by Werner P. Friedrich. Chapel Hill 1959, S. 294—309.

—,—. *Mallarmé*. München 1953.

WEBB, Karl. „Rainer Maria Rilke and the Art of ,Jugendstil' ", *Centennial Review*, XVI (1972), S. 122—37.

WEINBERG, Bernard. *The Limits of Symbolism*. Chicago 1966.

—,—. Kurt. *On Gide's ,Prométhée'. Private Myth and Public Mystification*. Princeton 1972.

—,—. *Henri Heine. ,Romantique défroqué'. Héraut du symbolisme français*. New Haven-Paris 1954.

WEISSTEIN, Ulrich. *Einführung in die Vergleichende Literaturwissenschaft*. Stuttgart 1968.

WELLEK, René. *Discriminations: Further Concepts of Criticism*. New Haven and London 1970.

—,—. *Grundbegriffe der Literaturkritik*. Stuttgart 1965.

WELZIG, Werner. *Der deutsche Roman im 20. Jahrhundert*. Stuttgart 1970.

WEST, James. *Russian Symbolism*. London 1970.

WHITEHEAD, Alfred N. *Symbolism. Its Meaning and Effect*. New York 1927.

WILLARD, Nancy. *Testimony of the Invisible Man*. William Carlos Williams. Francis Ponge. Rainer Maria Rilke. Pablo Neruda. Columbia 1970.

WILLIAMS, Thomas A. *Mallarmé and the Language of Mysticism*. Athens (Georgia) 1970.

WILSON, Edmund. *Axel's Castle*. New York 1959.

WIMSATT, W. K. „Two Meanings of Symbolism: A Grammatical Exercise", in: *Hateful Contraries*. Lexington 1965, S. 51—71.

WINKLER, Emil. *Das dichterische Kunstwerk*. Heidelberg 1924.

—,—. „Der Weg zum Symbolismus in der Französischen Lyrik", in: *Idealistische Neuphilologie*. Vossler-Festschrift. Heidelberg 1922, S. 238—56.

WODTKE, Friedrich W. „Das Problem der Sprache beim späten Rilke", *Orbis Litterarum*, XI (1956), S. 64—109.

WOOD, Frank. *Rainer Maria Rilke: The Ring of Forms*. Minneapolis 1958.

—,—. „Rilke and Eliot: Tradition and Poetry", *Germanic Review*, XXVII (1952), S. 246—59.

—,—. „Rilke and D. H. Lawrence", *ebd.*, XV (1940), S. 213—23.

—,—. „Rilke and the Time Factor", *ebd.*, XIV (1939), S. 183—91.

—,—. „Rilke and the Theater", *Monatshefte*, XLIII (1951), S. 15—26.

—,—. „Rainer Maria Rilke: Paradoxes", *Sewanee Review*, XLVII (1939) S. 586—92.

WYCZYNSKI, Paul. *Poésie et Symbole.* Montréal 1965.

WYDENBROOK, Nora. *Rilke: Man and Poet.* London 1949.

YELTON, Donald L. *Mimesis and Metaphor.* An Inquiry into the Genesis and Scope of Conrad's Symbolic Imagery. The Hague 1967.

ZABRISKIE TEMPLE, Ruth. *The Critic's Alchemy.* A Study of the Introduction of French Symbolism into England. New York 1953.

ZELTNER-NEUKOMM, Gerda. *Die eigenmächtige Sprache.* Zur Poetik des Nouveau Roman. Olten und Freiburg 1965.

—,—. *Das Ich und die Dinge.* Köln 1968.

—,—. *Das Wagnis des französischen Gegenwartsromans.* Hamburg 1960.

ZERAFFA, Michel. *Personne et Personnage.* Le romanesque des années 1920 aux années 1950. Paris 1969.

ZIOLKOWSKI, Theodore. *Dimensions of the Modern Novel.* German Texts and European Contexts. Princeton 1969.

—,—. „James Joyces Epiphanie und die Überwindung der empirischen Welt in der modernen deutschen Prosa", *Deutsche Vierteljahrsschrift für Literaturwissenschaft und Geistesgeschichte*, XXXV (1961), S. 594—616.